JN306840

I

BLEACH Spirits Are Forever With You

contents

ドン・観音寺《かんおんじ》

観音寺ミサオ丸——通称、ドン・観音寺。
本名は観音寺美幸雄《みさお》、カリスマ霊媒師にしてTVのヒーロー。
観音寺弾《キャノンボール》を正義のために今日も撃つ。

仮面の女

純白の髑髏の仮面をつけている。
あらゆる場所で観測され、その存在は謎のままである。
——しかし、読者諸兄は、彼女のことを見たことがあるはずなのだ。

死んだはずの十刃《エスパーダ》

その破面《アランカル》はかつて、護廷《ごてい》十三隊との戦いの中で
死んだはずだったが…。
再び姿を現したその目的は一体…？

貴族風の死神

優男風の容貌だが、外見とは裏腹な圧倒的な力と、
その企みが、尸魂界《ソウル・ソサエティ》に混乱をもたらす。

CHARACTERS

着物の女

革紐で目を隠した扇情的な姿の女。
貴族風の死神の傍らによりそい、けたたましい笑い声を上げている。

群体の破面《アランカル》

群れにして個、無邪気さと残酷さを発揮する恐るべき存在。
彼らの気まぐれな行動が物語を左右する。

刳屋敷《くるやしき》剣八《けんぱち》

七代目剣八。京楽《きょうらく》たちと共に、数百年前の戦場を駆けた猛者。
しかし、今やその名前は過去のものとなっている。

更木《ざらき》剣八《けんぱち》

十一代目剣八。十一番隊を率いる。斬魄刀《ざんぱくとう》の名すら知らないが、
幾たび斬られても倒れず、その剣腕は無双。

黒崎一護《くろさきいちご》

空座町《からくらちょう》に住む少年。彼の行動と決意が、
多くの人の運命を変えた——。

BLEACH

Spirits Are Forever With You

I

kubotite
naritaryohgo

JUMP j BOOKS

【瀞霊廷《せいれいてい》通信、記事原稿の『燃え残り』より一部抜粋】


ドン・観音寺《かんおんじ》とは何者なのか？

そうした質問が、当雑誌の人気コーナー、『教えて！　修兵《しゅうへい》先生!!』の下《もと》に数多く寄せられている。

問いへの答えとして、我々編集部一同は、一つの特集記事を掲載する事にした。我らが編集長代理である檜佐木《ひさぎ》修兵の独断に任《まか》せるには、あまりに荷が重いと判断したからだ。

瀞霊廷通信の読者諸兄《しょけい》ならば、死神代行である黒崎一護《くろさきいちご》氏のことは御存知だろう。藍染惣右介《あいぜんそうすけ》封印後に、黒崎氏が『力』を失った事も、かつて当誌で報じた通りだ。

そしてつい先日、彼がその『力』を取り戻したのも記憶に新しい事かと思う。

この記事に示すのは、狭間《はざま》の物語だ。

黒崎一護氏が死神としての力を失い、『再起動』するまでの十七か月。

具体的には、その期間の終盤に起こった『例の事件』についての集録である。

瀞霊廷に住まう読者諸兄には、なんの事件か説明するまでもないだろう。

だが、君達は、『例の事件』に関して、現世と虚圏《ウエコムンド》——そして、断界《だんがい》で起こった事については把握《はあく》できていない筈《はず》だ。

我々は、あらゆる手を使って調べ上げた『例の事件』の顛末《てんまつ》をここに記す。


ドン・観音寺とは何者なのか？

その答えは出ていない。我々もまた、明確な答えを持たない。

当誌の記事を読む事で、読者諸兄が個々の答えを有してくれれば幸《さいわ》いだ。

だが、先に記者としての私見を述べさせて貰《もら》えるならば、彼は恐らく——（以下、焼失）

【※中央四十六室《ちゅうおうしじゅうろくしつ》の検閲《けんえつ》により記事は差し替えられ、原稿は全《すべ》て廃棄済《はいきず》みとなっている】

一章

現代　東京都　空座町《からくらちょう》

「なあ、今の俺、輝いてるよな？」

つるりと剃《そ》り上《あ》げられた耳周《まわ》りをさすりながら、少年は夜空を見上げて呟《つぶや》いた。

仲間同士で開かれたクリスマスパーティーの帰り道。

宴《うたげ》の最中に行われたゲームの敗者となり、モヒカン刈《が》りにされた高校生、浅野啓吾《あさのけいご》。

彼は目に涙を溜《た》めつつも、隣に立つ同級生――小島水色《こじまみずいろ》に精一杯の笑顔を向けた。

「そう、モヒカンってのは男を上げる髪型なんだよ！　誰もが知る名作中の名作、『タクシードライバー』の時のロバート・デ・ニーロみたいによ！　いや、俺は観《み》た事ないんだけどさ？　だってデ・ニーロだぜデ・ニーロ！　そりゃかっこいいだろ！」

悲しみを誤魔化《ごまか》すかのようなハイテンションで語る啓吾に対し、隣を歩く少年は、彼の頭髪にチラリとも目をくれぬまま呟いた。

「人を嘲笑《ちょうしょう》するっていうのは……結構体力使うから、なるべくやりたくないんだけど」

「無表情のまま、よくもそこまで人を嘲笑《あざわら》えるもんだなオイ⁉」

「ああ、一応言っておくけど、嘲笑う対象はデ・ニーロじゃなくて君だけだから。そりゃデ・ニーロやベッカムならモヒカンでもソフトモヒカンでもカッコイイけどさ。啓吾はもっと、自分が浅野啓吾に過ぎないって事実と向き合った方がいいと思う。ついでに言うなら、啓吾が『嘲笑』って単語を知ってた事にもビックリした」

「まさかの追い打ち⁉」

ショックを受ける啓吾に対し、水色は淡々《たんたん》と言葉を紡《つむ》ぎ続ける。

「そもそもさ、その『タクシードライバー』の知識もロバート・デ・ニーロの名前も、さっき啓吾を慰《なぐさ》めてた井上《いのうえ》さんの受け売りだよね？　井上さんは時々変な事に詳《くわ》しいから違和感ないけど、啓吾が映画のタイトルとか役者をすぐに引き合いに出せるとは……」

あまりにも冷たい親友の言葉に、啓吾は水色の肩を摑《つか》んで激しく揺らす。

「細かい事は忘れて、誰に責任があるのかそろそろ思い出そうぜ⁉　そもそも罰《ばつ》ゲームのクジにモヒカンとか入れたのお前だよな水色⁉」

「やめて下さいよ。別に無理にやらなくてもいいって言ったのに、『思い切りの良い男に女は惚《ほ》れる！』って叫びながらバリカン動かしたのは浅野さんじゃないですか」

「ちょ、待て！　この状態で敬語にならないでくださいますかね水色さん⁉　距離感を感じる以前に、こんな所を警官とかに見られたら、確実に俺がモヒカンの強盗《ごうとう》……」

髪の毛のなくなった側頭部に冷や汗を垂《た》らしつつ、慌《あわ》てて周りを見る啓吾。

そんな彼の目に、横目でこちらを見ている若い女性の姿が映《うつ》った。

「ああっ！　違っ、違うんですお姉さん！　こう見えても俺、デ・ニーロなんです！」

混乱して妙な事を呟きながら笑う啓吾だったが——

次の瞬間、その笑顔が固まった。

改めて見た女性の外見に、自分のモヒカンよりも特異な点があったからだ。

肩に掛かるか掛からないかといった長さの黒髪を靡《なび》かせ、整《ととの》った顔立ちに物憂《ものう》げな表情を浮かべる若い女性。

そんな彼女の顔の右半分を、純白の髑髏面が覆い隠していたのである。


「えっ」

啓吾は、背筋《せすじ》に僅《わず》かに冷たい汗が湧《わ》き出《で》るのを感じた。

彼女が顔面につけている仮面。その質感に見覚えがあったからだ。

——あれって、アフさんが普段追っかけてる怪獣と似た感じだよな？

彼の友人であるチャドや井上の話によると、それは霊の一種で、早い話が悪霊《あくりょう》のようなもの（正式名称も聞いたのだが、既《すで》に忘れていた）らしい。いつの間にか霊感が身についていた啓吾は、何度かそうした悪霊絡《がら》みのトラブルに巻きこまれていたのだが、その悪霊達に近い雰囲気をその女性から感じ取ったのだ。

「啓吾、あの人……」

水色の言葉に、啓吾は我に返りながら頷《うなず》いた。

「ああ、解《わか》ってる」

「綺麗《きれい》な女の人だけど、不用意に駆け寄らない方がいいと思うよ？」

「お前は俺をなんだと思ってるんだ？　大丈夫、俺は冷静さが売りのクールメンだぜ？」

――バストサイズがもう一回り上だったら、全《すべ》ての疑問を無視して駆け出してたけどな。

心中ではそう思っていたものの、流石《さすが》に口には出さず、改めて女性の方に目を向ける。

だが――次の瞬間、女性はどこか困ったような表情を見せ、そのまま空気の中に溶《と》けこむように二人の前から消え去ってしまった。

「うおおお、消えたーっ!?　おい見たかおいおいおい！　今、消えたよな、おい!?」

「やっぱり、人間じゃなかったみたいだね」

全《まった》く表情を変えずに呟く水色に、目を見開きながら喚《わめ》きだす啓吾。

「だね、って、冷静すぎじゃね!?　何？　おかしいのは俺？　俺の方!?　ちょっと呪《のろ》われるかもしれないとか思いつつ、あのお姉さんが夜中に俺の部屋に来てくれんなら呪われて悔《く》い無しってな感じで悶《もだ》えかけてる俺がおかしいの⁉」

「落ち着きなよクールメン。啓吾がおかしいのはいつもの事じゃん」

目の前で超常現象が起きたにもかかわらず、基本的にはいつも通りの調子で会話を続ける二人。だが、彼らの身に降りかかった異常は、いつもとは僅かに違う色を見せ始める。

「おい、見たかよ今の⁉　消えたよな⁉」

「見た見た！　超ヤバイ感じ！」

騒がしい声に啓吾達が振り返ると、大学生ぐらいの男女が目を白黒させていた。

どうやら、今しがたの女性消失シーンを目撃していたようだ。

「…………？」

啓吾は、その光景に違和感を覚える。

認めたくはないが、自分には最近、霊感というものが身についてきたらしい。

だが、あの通りすがりの男女にも、自分と同じような霊感があったのだろうか？

そう思って周囲を見回し、啓吾は更《さら》に深い違和感に囚《とら》われる。

空座町から鳴木市《なるきし》に向かう途中にある繁華街。夜とはいえ、人通りは決して少なくない。

残業帰りのサラリーマンやカラオケに向かう途中の大学生など、全く繋《つな》がりのない別々の集団が——女性の消えた場所を指さしたり、携帯のカメラを向けたりして周囲の仲間達と騒ぎ合っているではないか。

何かがおかしい。

膨《ふく》れあがる違和感の正体は、その直後の光景で判明する事となった。

黒い装束《しょうぞく》を着たアフロヘアの男が、皆が指さす空間に駆けこみ、周囲をキョロキョロと見回しながら大声をあげる。

「ぬうう！　怪《あや》しい霊圧《れいあつ》の残滓《ざんし》はあれど姿は見えず！　これはもしや、この車谷善之助《くるまだにぜんのすけ》の霊圧に怖《おそ》れをなしたか⁉」

「あ、アフさんだ」

「げえ！　貴様はいつぞやの刀泥棒！　なんだその髪型は⁉　というか、今、私が渾身《こんしん》の力をこめて名乗ったばかりなのにアフさん呼ばわりとは酷《ひど》くないか⁉　もはや名を覚える気は毛頭無《もうとうな》いという事か⁉」

彼の名は（友人の一護《いちご》曰《いわ》く）イモ山。通称アフさん。本名は別にあるそうなのだが、実際のところ、啓吾は名前を覚えるつもりは無いので気にしない事にした。

啓吾が怪獣と認識していた悪霊達と戦う存在で、『死神』と呼ばれる者達の一人だ。

しかし、周囲の人々は見るからに怪しい男が現れたにもかかわらず、相変《あいか》わらず一人の女性が消えた事に対してざわめき続けている。

アフロな死神の仰々《ぎょうぎょう》しい叫び声も全く耳に入っていないようで、そもそも、周囲の人々は彼の姿すら認識できていないようだ。

そして、啓吾は確信する。

今しがたの女性は、確かに人間ではなさそうだ。

だが、死神を見る事ができない——所謂《いわゆる》『霊感のない人間』にも見えたというのは、一体どういう事なのだろうか？

啓吾は水色と顔を見合わせたが、それ以上その場で何も起こる気配はなく——彼らは妙な違和感を抱《かか》えつつも、日常の中に心を戻す。

実際、その謎の女性を目撃した事で、彼らの身に特別な事件が起こる事はなかった。

しかし、彼らを取り巻く『街《まち》』という環境においては、それは始まりに過ぎなかった。

その後も空座町や鳴木市をはじめとして、近隣の町で次々と『顔の半分が髑髏《どくろ》に覆《おお》われた女』の目撃談が続いたのである。

数日、数週間という短い単位ではなく——一年以上にわたる長い期間でだ。

何の脈絡《みゃくらく》もなく街中《まちなか》に現れては、寂《さび》しげな顔をして消えていく謎の女性。

車谷に限らず、周辺の街を担当している死神や、あるいは滅却師《クインシー》である石田《いしだ》がその気配を感じ取る事はあった。だが、彼らが現場に辿《たど》り着《つ》いた時には既に女性の姿は消えていて、目撃者達がざわめいているのを目にするだけだった。

霊感がない者にも見えるというその女性は、それまで霊の存在を信じていなかった者達にも衝撃《しょうげき》を与え、一帯の街を起点として少しずつ彼女の噂《うわさ》は広まり始めた。

ついには誰かがカメラに消失の瞬間を映す事にも成功し、ネットを通して全国的にその噂が知れ渡る結果となる。

トリック映像だ、本当の霊だ、異次元からの侵略者だなどと、様々な噂がネット上を飛《と》び交《か》い、議論は全国に広がり続けた。そして、最初の目撃例から一年以上が過ぎ去った頃——ついにその噂が、ある心霊番組プロデューサーの目に留《と》まる事となった。

プロデューサーは、深夜枠《わく》とゴールデン枠の間を行ったり来たりという状態になっていた自分の番組の今後について悩んでいた所だったのだが——謎の女性が消える瞬間の映像を見て、起死回生の案を思いつく。

次にプロデューサーは、自分以上にその番組を愛し、番組そのものであると言っても良いメインパーソナリティに対し、一つの企画を提案した。

企画書のタイトルにはメインパーソナリティの名が堂々と刻《きざ》まれており、その番組が彼と一心同体である事を殊更《ことさら》に強く象徴《しょうちょう》している。

『ドン・観音寺《かんおんじ》のぶらり霊場 突撃の旅～闇《やみ》に現れ闇に消える髑髏面の女を追え！ 番組最高の視聴率を記録した空座町スペシャル、再び！』

そして、『彼』は再びやって来る。

稀代《きだい》のカリスマ霊媒師《れいばいし》、ドン・観音寺。

特徴的な笑いとポーズを引っ下げ、第二の故郷と呼ぶに相応《ふさわ》しい街——空座町へと。

二章

二五〇年前　尸魂界《ソウル・ソサエティ》　流魂街《ルコンがい》某所《ぼうしょ》

音。

湿った血風《けつぷう》が吹《ふ》き荒《すさ》ぶ戦場《せんじょう》に、乾いた金属音が鳴り踊る。
本来、そこは戦場《いくさば》でもなんでもない、単なる平原に過ぎなかった。
現世《げんせ》での命を終えた魂《たましい》の行きつく先、流魂街の外《はず》れ。
一度『死』を味わった住民達ですら近づこうとしない、草が僅《わず》かに生《は》えるだけの土地。
しかし、そこに存在する者達は、鉄錆《てつさび》の匂《にお》いを振りまきながら乾いた土を踏みならす。
現世と尸　魂　界《ソウル・ソサエティ》を行き来する魂の護《まも》り手《て》。それは黒装束《くろしょうぞく》の執行者——『死神』。
彼らが手にするのは、使い手によって千差《せんさ》万別《ばんべつ》の形を見せる斬魄刀《ざんぱくとう》。
死神達は護り手であると同時に、虚《ホロウ》と化した霊を斬魄刀の刃《やいば》で清める狩人《かりうど》でもある。

狩人達が狙《ねら》うのは、流魂街の外れに現れた獲物《えもの》。数十体に及《およ》ぶ虚《ホロウ》の群《むれ》。

死神達の数倍の巨軀《きょく》を持つ虚《ホロウ》達を前に、彼らは一歩も怯《ひる》む事なく――

笑《え》みすら浮かべながら、己《おのれ》の身を戦場へと躍《おど》らせる。


彼らは死神。

彼らは武人《ぶじん》。

彼らは刃。

彼らは力。

鋸草《のこぎりそう》の隊章を身につけた、泣く子も黙る『十一番隊』。

十三に分かれた死神達の実働隊の中で、最も『戦《いくさ》』に特化した部隊である。

並の死神なら数人がかりでも危険と思われる虚《ホロウ》を前に、彼らは愉《たの》しげな表情を崩《くず》さない。

戦いの最中に浮かべる笑みには、二つの理由が存在した。

一つは、十一番隊に集まる者達が、自《みずか》らの命を賭《と》した戦そのものを楽しむ気質を持っているという事。

もう一つは――彼らの中心にいる男に対する、絶対的な信頼だった。

十一番隊の荒くれ者達の中で、一際《ひときわ》目立つ白羽織《しろばおり》の男が一人。

周囲の死神達と比《くら》べて、頭一つほど高い背丈《せたけ》。

獣《けもの》のように鋭い目つきと、一見粗野に見えるざんばら髪が特徴的な男だ。

彼の白羽織の背を飾るは、刃の交錯《こうさく》を思わせる『十一』の漢数字。

だが、外見的な特徴よりも——男が纏《まと》う霊圧《れいあつ》の高さが、虚《ホロウ》達の仮面を震《ふる》わせる。

まるで、『この男は危険だ』と警鐘《けいしょう》を鳴らすかのように。

それとは逆に、十一番隊の隊員達にとって、その男は、ただそこに居るだけで士気の高まる存在だった。彼に全《すべ》てを頼るという意味ではなく、ただ、彼と同じ戦場で命を賭《か》けて戦えるという歓《よろこ》びに、死神達は己の心を躍らせる。


護廷《ごてい》十三隊、十一番隊隊長——剣屋《くるや》敷剣八《しきけんぱち》。


最強と言われる死神の名を受《う》け継《つ》いだ、七代目の『剣八』。

先代の剣八を一騎討ちにて屠《ほふ》り去《さ》り、数百年の間『剣八』の名を護《まも》り続ける男である。

戦に特化した部隊を率《ひき》いながら人づきあいも良く、隊の内外問わず人望のある死神だ。

ただし、彼が最も人を惹《ひ》きつけたのは——

弱者の嫉妬《しっと》や妬《ねた》みすらねじ伏《ふ》せる、その圧倒的な『力』だった。

「大虚《メノス》だぁ！　大虚がいるぞ！」

死神の一人の叫び声が響《ひび》き、十一番隊の間に緊張が走る。

見上げると、いつの間にか戦場の空に巨大な亀裂《きれつ》が走り、空間を裂《さ》きながら夜の闇《やみ》を思わせる巨影が舞い降りようとしていた。

数万体の虚《ホロウ》が喰《く》らい合《あ》い、融合《ゆうごう》した存在である大虚《メノスグランデ》。

小さな山ほどもあるその巨軀と比《くら》べると、死神達の姿は人から見た子鼠《こねずみ》も同然だ。

あまりに危険な存在であるその虚《ホロウ》は、真央霊術院《しんおうれいじゅついん》では『王属特務《おうぞくとくむ》の管轄《かんかつ》』、あるいは『隊長格が数人がかりで抑《おさ》えこむもの』と教えられている。

だが、そんな絶望が空から顔を出したというのに、死神達は、尚《なお》も笑っていた。

そして、一番嬉《うれ》しそうな笑みを浮かべたのは、他でもない剣屋敷剣八だった。

「ああ……こいつぁ、愉しく戦《や》れそうだ」

剣屋敷はなんの迷いもなく地を蹴《け》り、その大虚《メノス》の巨大な仮面の前まで跳《と》び上《あ》がる。

「よう、踊ろうぜ、大虚《メノス》」

「…………」

瞬時に己の目線まで跳び上がった『小さな獲物』を前に、大虚《メノス》は反射的に仮面の口を開き、虚閃《セロ》で迎《むか》え撃《う》たんと霊圧を凝縮《ぎょうしゅく》させていく。

だが――

「最下大虚《てめえ》じゃねえよ」

彼は始解《しかい》すらしていない素《す》の斬魄刀で、その最下大虚《ギリアン》の仮面を虚閃《セロ》ごと切り裂き、叫び声をあげるヒマすら与えず消滅させた。

一撃。

並の隊長格が数人がかりで倒すのが常道と言われる大虚《メノス》を、ただ一刀の下《もと》に屠り去る様《さま》を見て、虚《ホロウ》達は怯《おび》え、死神達は歓声《かんせい》と共に己の気を高ぶらせる。

斬魄刀によって浄化されて、尸魂界《ソウル・ソサエティ》の空気へと溶《と》けこんでいく黒い残滓《ざんし》を浴びながら、剃屋敷は尚も空に開き続ける『亀裂』に向かって呼びかけた。

「奥にいる奴《やつ》、出てこいよ」

すると、次の瞬間、亀裂の奥から無数の白い糸が飛び出した。

細い糸は空中で瞬時に絡《から》まり合《あ》い、綱《つな》のように太くなって巨大な網《あみ》を編《あ》み上《あ》げる。

網は剃屋敷を捕らえようと迫《せま》るが、彼は敢《あ》えてそれを迎え撃ち、己の身体《からだ》を捻《ひね》りながら斬魄刀でその白い網を絡め取った。

次の瞬間、獲物を捕らえたと判断したのか、斬魄刀を亀裂に引きずりこもうと強い力がかけられる。

だが、剳屋敷は空気中に霊子《れいし》の塊《かたまり》を生み出し、それを亀裂に向かって蹴《け》り出《だ》す形で、無理矢理その力に反抗した。

綱引きは僅か数秒で終わり、亀裂の中から、一体の小柄《こがら》な虚《ホロウ》が引きずり出される。

それは、純白の蜘蛛《くも》を思わせる、人間の姿とはかけ離れた虚《ホロウ》だった。

大きさ自体は下で死神達と戦っている虚《ホロウ》より小さいぐらいだが、その身体《からだ》から放《はな》たれる霊圧は、先刻の大虚《メノス》よりも強く、重い。

蜘蛛型の虚《ホロウ》は何も言わず、一瞬にして亀裂と大地の間に糸を張り、空中に静止する形で剳屋敷と相対《あいたい》する。

「……中級大虚《あんた》でもねえよ」

残念そうに溜息《ためいき》を吐《つ》き、斬魄刀の峰《みね》で自らの肩をトントンと叩《たた》きつつ、蜘蛛型虚《ホロウ》に向かって問いかけた。

「あんたの後ろに、もう一人いるだろ。多分、最上大虚級《ヴァストローデ》がよ」

だが、白蜘蛛は問いに答えず、身体の数箇《すうか》所《しょ》にある穴から再び糸を吐《は》き出《だ》してくる。

剣屋敷は通常の死神なら避けきれぬであろう速度の『糸の風』を潜《くぐ》り抜《ぬ》け、数秒後には、蜘蛛型虚《ホロウ》の仮面に斬魄刀を突きつけていた。

虚《ホロウ》にとっては絶体絶命の状況だが、蜘蛛型虚《ホロウ》は何の反応も示さず、ただ動きを止めるだけだった。まるで、悲鳴や命乞《いのちご》いを含《ふく》め、自分が次にすべき行動が何も解《わか》っていないとでもいうように。

「お前、なんにも中身がねえな」

一体その蜘蛛型中級大虚《アジューカス》から何を感じ取ったのか、剣屋敷は哀《あわ》れみのこもった声を吐きかけた。

「さっきの最下大虚《ギリアン》の方が、敵意がある分だけ楽に斬《き》れたのによ……」

剣屋敷は刀を仮面から引き、代わりに、蜘蛛の足を掴《つか》み上《あ》げる。

「俺は、人形を斬る程ヒマじゃねえんだ、出直してこい」

そのまま、剣屋敷は蜘蛛型虚《ホロウ》を片手で振り回し、空の亀裂の中へと投げこんだ。

彼は首をコキリと鳴らすと、空の亀裂の奥の『誰か』に向かって問いかける。

「そこにいるんだろ。眩《まぶ》しいとこが嫌いなら、こっちから乗りこんでやろうか？」

相手の答えを待たず、空中に更《さら》なる霊子の塊を生み出し、亀裂に向かって跳躍《ちょうやく》した。

亀裂の奥にいる、最下大虚《ギリアン》でも中級大虚《アジューカス》でもない『誰か』に刃を突き立てる為《ため》に。

しかし、彼の望みは叶《かな》わない。

空の亀裂は彼の目の前でその口を閉じ、あっという間に塞《ふさ》がってしまったからだ。

死神達が次元の行き来に使う穿界門《せんかいもん》と違い、虚《ホロウ》達が次元を移動する仕組みは、この時点では解明されていなかった。その為、無理矢理その亀裂をこじ開けるという真似《まね》もできず、剣屋敷剣八は一人空中に取り残される。

「あぁ……？　なんだよ、冷やかしかよ……」

再び大きな溜息を吐き出し、彼は眼下の戦場に目を向けた。

そこにはまだ数十体の虚《ホロウ》が残っており、十一番隊の隊員達が戦闘を続けている。

彼はその光景を見てニイ、と笑い、嬉しそうにその戦場へと降下していった。

「しょうがねえ、たまにゃ、隊長らしく現場の指揮でもするか」

≑

数刻後

つい先刻までは戦場《せんじょう》であった場所。

地面と空気に染《し》みこんだ血の臭《にお》いを酒で洗い流すかのように、現在に十一番隊総出となって酒盛りが行われている。

援護の為《ため》に遅れてやってきた四番隊や八番隊の面々は、既《すで》に虚《ホロウ》の撃退が終了しているという事態を目にして帰ろうとしたのだが、『お前らも付き合え』と半《なか》ば無理矢理誘われる形で、その飲み会に参加する結果となった。

「ったく、剣屋敷《くるやしき》隊長は酷《ひど》い人だよ！　たまに号令かけて隊陣《たいじん》組ませたと思ったら、一人で美味《おい》しい所を持ってっちまった！」

「悪《わり》ぃ悪ぃ。俺もお前らの斬《き》り合《あ》いの邪魔《じゃま》する気なんざなかったんだが、虚《ホロウ》の奴《やつ》らが一斉《いっせい》に俺に向かってくるもんだからよ」

「それにしちゃ、随分《ずいぶん》と嬉《うれ》しそうに刀振ってたじゃねえっすか！」

あの後、結局残った虚《ホロウ》を殆《ほとん》ど一人で片づけてしまった剣屋敷に、隊員達が口々に文句を言う。だが、文句をつけつつもその顔はどれも嬉しそうで、隊長の純粋な強さを誇《ほこ》りに思っている様子だった。

「しっかし、やっぱり剣屋敷隊長はすげえっすよ！　最下大虚《ギリアン》を一発でぶった斬って、その後に出てきた中級大虚《アジューカス》も子供扱《あつか》いだったんすから！」

「本当ですよ！　大虚《メノス》の連中を相手どれるのなんて、剣屋敷隊長ぐらいじゃないですか？」

口々に言う部下達に、呆《あき》れながら首を振る剳屋敷。

「山本《やまもと》総隊長を忘れんなよお前ら……」

数多《あまた》の虚《ホロウ》が縒《よ》り合《あ》わさった存在である大虚《メノスグランデ》。その中でも特に最上大虚級《ヴアストローデ》と呼ばれる人型の虚《ホロウ》は、隊長格の力を超《こ》える。

それが死神達の間での通説であり、死神を養成する『真央霊術院《しんおうれいじゅついん》』での教本にもしっかりとそう書かれている。

だが、隊長格にも差はある。

卍解《ばんかい》も必ず戦闘向きであるとは限らず、そうした者達は隊長といえど大虚《メノス》に遅れをとる可能性もある。その為、真央霊術院では警戒の意味もこめて『大虚《メノスグランデ》は最重要警戒対象であり、本来は王属特務《おうぞくとくむ》【零番隊《ゼロ》】が対処すべき事案である』と教えていた。

しかし、隊長達の中には山本総隊長や剳屋敷のように、一騎当千とでも言うべき力を持つ者達がおり、彼らは数少ない『例外』として尊敬や畏怖《いふ》の対象となっていた。

そうした例外の一人である剳屋敷は、自分が特別だとは言わずに、他の『例外』を言葉に連《つら》ね始める。

「十二番隊の曳舟《ひきふね》だって、大虚《メノス》なんざ雑魚《ざこ》扱いだしな。朽木《くちき》や四楓院《しほういん》家の連中だっているし、最下大虚《ギリアン》や中級大虚《アジューカス》程度斬れる奴ぁゴロゴロいるさ」

「でも、過去に最上大虚《ヴァストローデ》を斬ったってのは、剣屋敷隊長以外にはそうそう聞きませんよ」

「まあ、今回の奴は逃がしちまったけどな」

そして、自分の後方で女性達に囲《かこ》まれている、華《はな》やかな羽織《はおり》を纏《まと》った男に声をかけた。

「京楽《きょうらく》なんかはどうよ。相手できそうか？　最上大虚《ヴァストローデ》とかよ」

唐突《とうとつ》に話を振られ、十一番隊の数少ない女性陣に声をかけていた男——八番隊隊長、京楽春水《しゅんすい》は肩を竦《すく》めて振り返る。

「やれやれ。気楽に言ってくれるねぇ、キミは。まあ、僕らは言うほど最上大虚《ヴァストローデ》の事を識《し》ってるわけじゃないしねえ。相性《あいしょう》によっちゃ、最上大虚《ヴァストローデ》に勝てるかもしれないし、最下大虚《ギリアン》に負けるかもしれないじゃない。虚《ホロウ》との闘《たたか》いってのはそういうもんでしょ」

「……確かにそうだな。馬鹿な事を聞いちまった」

「そういう事。そもそも、君が斬った最上大虚《ヴァストローデ》も、最上大虚《ヴァストローデ》全体の中でどのぐらい強いのか解《わか》らないわけだしねぇ」

京楽は剣屋敷の問いを適当に受け流し、逆に自分の方から問いかけた。

「ていうか、本当にこんな所で酒盛りしてていいのかい？　先に報告とかしとかないと、また山爺《やまじい》にどやされるよ？　それに、四番隊の子達を酔《よ》い潰《つぶ》れさせたりしたら、卯ノ花《うのはな》隊長がなんて言うか」

「ハハっ、確かに、烈姐《れつねえ》さんが怒ったら大虚《メノス》より怖《こえ》ぇからな。……てか、その酒盛りで、人の隊の女を口説《くど》いてる奴が何言ってやがる」

「援護に来たらもう全部終わってたんだ。戦いに疲れた可愛《かわい》い女の子達を癒《いや》すのが僕の役目……って事にしてくれないかい？」

「相変《あいか》わらずだな。少しは浮竹《うきたけ》の真面目《まじめ》さを見習えよ」

呆《あき》れる剣屋敷に対して、京楽は僅《わず》かに表情を引《ひ》き締《し》めつつ口を開く。

「でも、今回みたいに大量の虚《ホロウ》が一気に攻めてきたのは珍しいねえ。聞いた話じゃ、中級大虚《アジューカス》が出てきた上に最上大虚《ヴァストローデ》の気配もあったそうじゃない。こりゃ、いよいよ虚《ホロウ》にも新しい動きが出てきたって事かね」

「いや、完全に統率《とうそつ》が取れてる感じじゃなかったな。虚《ホロウ》が陣形《じんけい》だのなんだの使ってくるのはまだ先だろ。最上大虚《ヴァストローデ》に忠誠《ちゅうせい》を誓《ちか》ってるっつーより、獣《けもの》が鞭打《むちう》たれながら言われた事に従ってる感じだったぜ」

そう答えた後、剣屋敷はふと昔の事を思い出しながら呟《つぶや》いた。

「ただ、俺が前に斬った最上大虚《ヴァストローデ》は、浄化される前に『バラガン様』だかなんだか叫んでやがったからな……。そのバラガンとかいう奴が向こうの世界の大将なのかもしれねえ」

杯《さかずき》を呷《あお》りつつ、ニヤリと笑う剣屋敷。

「虚《ホロウ》の大将か。いつか、乗りこんでって果たし合いてえもんだ。もしかしたら、アシドの野郎が先にぶった斬ってるかもしれねえけどな」

アシドというのは、狩能雅忘人《かのうあしど》という死神の通称であり、数年前に虚《ホロウ》を追って、部下達と共に虚圏《ウエコムンド》へと姿を消した男である。未《いま》だ戻らぬ昔馴染《むかしなじ》みが生きていると確信する剣屋敷に、京楽も彼が死んだという可能性を微塵《みじん》も感じさせぬ調子で言葉を返した。

「だとしたら、狩能君達が戻ってきた時は御祝いするようだねぇ。護廷《ごてい》十三隊の女の子達を全員集めて酒盛りといこうじゃないのさ」

「そりゃ、京楽が女と飲みてぇだけだろ？」

剣屋敷の言葉に、周《まわ》りの隊士達がゲラゲラと笑いだす。

和《なご》やかな空気を纏《まと》う酒の席で、剣屋敷は上機嫌《じょうきげん》に語り続けた。

「ま、虚《ホロウ》どもが進化しようが、護廷十三隊も足踏みしてるわけじゃねえんだ。あと二百年か三百年もすりゃ、隊長格や副隊長でも全員最上大虚《ヴァストローデ》とやり合えるようになってるさ」

「そうなったら、僕やキミは平《ひら》隊士落ちか、除隊勧告《かんこく》を受けて引退かい？」

京楽の皮肉に、剣屋敷は愉《たの》しげに笑い、答える。

「俺はその前にのたれ死にかもしれねえけどよ、『剣八《けんぱち》』がいりゃ問題ねえさ。俺がいなくなっても、十一番隊の隊長はずっと『剣八』だからな」

何か含《ふく》みのある呟きに、周りの隊士達が顔を見合わせ、そのうち一人が恐る恐る剣屋敷に問いかけた。

「あの、隊長……噂《うわさ》で聞いたんですが、剣屋敷隊長に、零番隊から声がかかってるっていうのは本当ですか？」

嘘《うそ》だと否定してほしいというような表情の隊士に、隊長は答える。

「ああ、話だけなら来たぜ」

「！」

「断《ことわ》ったけどな」

「!?」

あまりにもあっさりとした答えに周囲の隊士達がざわめく中、剣屋敷は酒を飲みながら淡々《たんたん》と語る。

「まあ、四十六室《しじゅうろくしつ》を通した正式な命令でもなかったしな。早いうちに断った方がいいだろそんなもん。考えてもみろよ。俺に王様の護衛なんてもんがつとまると思うか？　敵が来るまで、どっか別次元にある王宮《おうきゅう》に引きこもるなんてマネ、俺にゃ我慢できねえ」

剣屋敷はそこで一旦《いったん》目を伏《ふ》せ――

「それに、『剣八』の名前を受《う》け継《つ》いだ以上、俺はここで待ってなきゃいけないのさ」

杯に映《うつ》る自《みずか》らの顔と向き合いつつ、愉しそうに愉しそうに口元を歪《ゆが》ませた。

「俺を超える死神が現れるのをよ」

「隊長……」

最後の言葉の意図の受け取り方はそれぞれだったが、十一番隊の隊士達は皆、剣屋敷が自分達の隊長で在《あ》り続けるという事に安堵《あんど》し、それを誇りにも思っていた。

まさに彼こそが『最強の死神』の称号である『剣八』の名に相応《ふさわ》しい。

そんな事を思いつつ、彼らは静かに杯の酒を飲《の》み干《ほ》し、最高の気分で饗宴《きょうえん》を進めようとしたのだが——


「失礼。少しいいかな」


それは、不思議な声だった。

決して大声というわけではなく、寧《むし》ろ物静かな印象の声だったが、彼の言葉は、その場で騒いでいた死神達の耳に、驚くほど綺麗《きれい》に響《ひび》き渡《わた》った。

声がしたと思《おぼ》しき方向に目を向け——見慣《みな》れぬ者の影を確認する。

奇妙な出《い》で立《た》ちをした、まだ若い男だった。

男を見た死神達は、即座に彼が尸魂界《ソウル・ソサエティ》の中心部――『瀞霊廷《せいれいてい》』の貴族であると理解した。

だが――それだけだ。

流魂街《ルコンがい》の住民とも死神とも違う、ひと目で『貴族』と認識できる外観なのだが、その他の情報は何一つ解《わか》らない。自分が貴族であるという立ち位置だけを理解させる最低限の格好であり、貴族にありがちな華美な装飾品の類《たぐい》は全《まった》く身につけていなかった。

上級貴族の次男坊である京楽ですら、その姿を見て首を傾《かし》げている。

妙な男の登場に、酒盛りの場はざわめいたが、そのざわめきの合間を縫《ぬ》って、剣屋敷が男に声をかけた。

「おやおや、貴族の坊主が、こんな所になんの用だ？　酒が飲みたいなら分けてやるぜ」

そんな剣屋敷の声を受けた直後、貴族風の男は、自分の背中から無駄《むだ》に高揚《こうよう》した女の声が響くのを感じ取った。

「あいつだよ。あいつ！　今声をかけてきた奴！　あの背の高い強そうな奴が剣屋敷剣八だよ！　七代目の剣八だよ！　凄《すご》く強い奴だよ！　前に最上大虚《ヴァストローデ》を斬った奴だ！　今日も中級大虚《アジューカス》を簡単にあしらってた、凄く凄く強い男！　カッコイイね！　面白《おもしろ》いね！　面白いと思うよね？　キハハハハ！」

ちらりと顔を後ろに向けると、男の目に、キヒキヒと笑う女の姿が映る。

ゴテゴテと無駄な飾りをあしらった純白の着物から、必要以上に肌《はだ》を露出《ろしゅつ》している女。

彼女は両目を隠す形で幅の広い革紐《かわひも》を二本巻きつけており、丁寧《ていねい》に結《ゆ》われた黒髪には過《か》剰《じょう》な飾りのついた簪《かんざし》を挿《さ》していた。大きく開いた胸元からは豊満な胸の谷間が露《あら》わになっており、その上にあるたおやかな首筋《くびすじ》には、やはり派手な首飾りが掛けられていた。

扇情的《せんじょうてき》な女の格好に眉《まゆ》一つ動かさず、男はほんの僅かな苛立《いらだ》ちをこめて吐《は》き捨《す》てる。

「既に解り切っている事をいちいち喚《わめ》くな。お前はどこかに下がっていろ」

「ちぇッ、冷たい奴だよね！　負けちゃえばいいのに」

そんな捨《す》て台詞《ぜりふ》と共に女が自分から離れるのを確認すると、男はすぐに表情を戻し、自分に声をかけてきた隊長羽織の男に顔を向けた。

「剣屋敷剣八。君を……弐百《にひゃく》名を超す隊士の前で斃《たお》せば、『剣八』の称号と共に隊長の位《くらい》が手に入ると聞いた」

名乗りすらせず、淡々と語りかけてくる男。

十一番隊士達は顔を見合わせ、相手の意図を掴《つか》みかねていたのだが――

剣屋敷は、飲み干した杯を地に置き、ゆらりと立ち上がりながら答えた。

「そいつは、間違いじゃねえな」

すると、その貴族風の男は、顔色一つ変えぬまま、やはり淡々と口を開く。

「ならば、二度手間にならぬよう、できれば今――」

「この場で、殺し合いに応じてもらいたいのだが」


沈黙が、酒宴《しゅえん》の場を支配する。

だが、一瞬後にはその沈黙は死神達のざわめきや嘲笑《ちょうしょう》によって覆《くつがえ》された。

死神達は、頭のおかしな男が来た、いやいや自殺志願者に違いない、貴族同士の賭《か》け事《ごと》か何かではないかと語り合う。

だが、笑っていない者もいる。殺し合いという言葉に緊張した四番隊の面々や、八番隊隊長の京楽、そして、当の貴族風の男だ。

剣屋敷剣八はというと、嘲笑ではない、いつも通りの薄い笑《え》みを浮かべている。

そんな剣屋敷に、貴族風の男は更《さら》に告《つ》げる。

「酒が入っている事が不安なら、酔いが醒《さ》めるまで待っても構《かま》わない」

「いや、いいぜ、寧《むし》ろ、血が巡《めぐ》ってやりやすいぐらいだ──」

隊長の言葉に、隊員達が全員笑いを消した。

彼が、唐突に現れた男との殺し合いを受けるつもりだと気がついたからだ。

「た、隊長！　本気ですか！」

部下達の止める声に、剗屋敷は無言で手を翳《かざ》し、指を動かす。

──場を開けろ。

無言の指示に対し、隊員達は酒を持ってその場を離れ、心中で貴族風の男に憐《あわ》れみの目を向けた。隊長は果たし合いで手加減をする人間ではないし、貴族相手だからと躊躇《ためら》う人間でもない。手加減したとしても、あのヒョロリとした男が生き残れるとは思えない。

そもそも、あの貴族は斬魄刀すら持っていないではないか。

一体どうやって剗屋敷隊長の相手をするつもりなのだ？

部下達が緊迫《きんぱく》して円状の人垣を作る中、剗屋敷は八番隊の前に立つ京楽に声をかけた。

「京楽、悪いな、お前にまで立会人《たちあいにん》になってもらっちまってよ」

すると、京楽は剗屋敷には答えず、少し離れた場所に立つ貴族風の男に問いかける。

「本当にやるのかい？　キミがどこの何者かは知らないけど、隊長になる方法ってのは他にもあるんだよ？」

「貴方《あなた》と無駄話をするつもりはない。京楽春水隊長」

京楽の忠告に対し、あっさりと言《い》い放《はな》つ貴族の若者。

——こっちの名前程度は知ってるってわけか。

だが、京楽が不気味に感じたのは、そのことではない。

言葉面《ことばづら》だけを見ればこちらを見下《みくだ》しているように思えるが、今の貴族の声には、なんの蔑《さげす》みも嘲《あざけ》りも感じられず、そもそも感情自体がないように思えたからだ。

妙な違和感を覚え、京楽は剣屋敷に向き直る。

「キミも気をつけなよ。彼、自殺志願者や自惚《うぬぼ》れ屋には見えない」

斬魄刀《ざんぱくとう》を持っていない事など、侮《あなど》る理由にはならない事を京楽は知っている。

鬼道衆《きどうしゅう》の総帥《そうすい》である握菱鉄裁《つかびしてっさい》などは、鬼道の力だけで卍解《ばんかい》した隊長と渡り合えると言われており、この挑戦者も同等の力を持っているという可能性は否定できない。

そういう意味で忠告したつもりだが、剣屋敷も相手の違和感には気づいている様だった。

「ああ、愉しくなりそうだ」

ニヤリと笑う剣屋敷を見て、これ以上二人を止める事は無意味と判断し、京楽は何も言わずに人垣の一部となった。

これが初めての事態なら、京楽や周囲の隊士達も今より強く止めていたかもしれない。

だが、実際のところ、刳屋敷の果たし合いはこれが初めてというわけではなかった。

刳屋敷はこれまでも同じように何度も果たし合いを受けて立ち——その全《すべ》てに勝利してきたのだから。


二百人を超える隊士達の嘲笑や憐れみの目に囲《かこ》まれつつ、貴族風の男は静かに問う。

「もう、殺し合いの条件は成立しているのか？」

「果たし合いって言いな」

刀の峰《みね》で己《おのれ》の肩をトン、と叩《たた》きながら、刳屋敷は無手《むて》のまま佇《たたず》む男に語りかけた。

「お前がどんな奴かも知らねえし、強いのか弱いのかも解らねえが、命のやり取りをするからにゃ、お互いの『果て』を存分にさらけ出そうじゃねえか」

「無駄話は嫌いなんだが……訂正《ていせい》しよう。果たし合いの準備は成立しているのか？」

「とっくに始まってる、って言ってもいいぐらいだぜ？」

七代目剣八が答えた次の瞬間——男は笑いもせず、感情の無い声で呟く。

「それは良かった」

「ああ？」

「これで、君の命は無駄にならない」

剎那《せつな》――

剣八の身体《からだ》は切《き》り刻《きざ》まれ、その全身から激しい血飛沫《ちしぶき》を迸《ほとばし》らせた。

まるで、身体の内側から刃《やいば》の竜巻《たつまき》が巻き起こったかのように。

立会人である二百人の中で、誰一人として『男』の斬魄刀を目にした者はいなかった。

鬼道が発動した様子もない上に、貴族風の男はその場から一歩も動かない。

透明な斬魄刀でもあるというのだろうか？

だが、そもそも男は構《かま》えすら見せていないし、見えない刃が遠隔操作されているようにも思えなかった。

一体どうやって、一歩も動かぬまま七代目剣八の身体を切《き》り裂《さ》いたのか。

そもそも、この男は何者なのか？

どうして、突然『剣八』の名を欲したのか？

何もかもが解らない中で、隊員達が理解できたのは、一つだけだった。

七代目の『剣八』は敗れ――

この瞬間から、『男』は八代目『剣八』の座を手に入れたのだと。

死神も、虚《ホロウ》と同じように強くなり続ける。

先刻の剣屋敷の言葉は、今ここに証明された。

この日――七代目剣八が絶命した事を四十六室が確認した瞬間を境に、『剣八』の名は、より強き死神へと受け継がれる。

剣屋敷剣八の望み通り――より強き者が、彼の前に現れた。
この日、虚《ホロウ》との戦闘後に流魂街の荒野で起きたのは、ただ、それだけの事だった。

≑

虚圏《ウエコムンド》　某所《ぼうしょ》

七代目剣八《けんぱち》が斃《たお》される瞬間を見ていたのは、死神達だけではなかった。

当時の現世ではまだ概念《がいねん》すらなかった『監視カメラ』のような機能を持つ蟲《むし》型虚《ホロウ》。自《みずか》らの支配下にあるその極小虚《ごくしようホロウ》を使い、刳屋敷《くるやしき》達の決闘を虚圏《ウエコムンド》から観察していた者が存在したのである。

虚《ホロウ》でありながら、ほぼ完全な人型をしているその虚《ホロウ》は、俗に最上大虚《ヴァストローデ》と呼ばれる存在であり、先刻の尸魂界襲撃《ソウル・ソサエティしゅうげき》の背後にいた人物でもあった。

「ヤミーの口癖ではないが、幸運《スエルテ》とはまさにこの事だな。できる事なら直接この目で見たかったが、それはまたの機会を待つとしよう」

最後まで刳屋敷の前に現れる事のなかったその最上大虚《ヴァストローデ》は、仮面の奥でクックッと笑いながら呟《つぶや》いた。

「あの刳屋敷という死神を分析する予定だったが、まさかこんな展開になるとはね。録霊蟲《ろくれいちゅう》の記録を洗い直せば、今の戦闘で何が起こったのかは解析《かいせき》できるだろう」

嬉《うれ》しそうに楽しそうに、仮面の奥で狂的な笑《え》みを浮かべる。

そして、傍《かたわ》らにいる中級大虚《アジューカス》――先刻刳屋敷と戦った、白い蜘蛛《くも》型の虚《ホロウ》に視線を向けた。

「役立たずの君は一度潰《つぶ》して霊子《れいし》を再構成する予定だったけれど、今のを見て、新しい実験の目処《めど》がたったよ。僕でなければ実行は不可能だろうけどね」

「……はい」

「光栄に思うといい。君はまだ、僕のモルモットで在《あ》り続けられるんだ」

傲慢極《ごうまんきわ》まりない最上大虚《ヴァストローデ》の言葉に、蜘蛛型の虚《ホロウ》は静かに身を低くし——

淳い感情ではあるが、ほんの少しだけ、嬉しそうに頭を垂《た》れた。

後《のち》に藍染惣右介《あいぜんそうすけ》の手によって破面《アランカル》となり、十刃《エスパーダ》の一人となる最上大虚《ヴァストローデ》の名を呼びながら。


「ありがとうございます……。ザエルアポロ様」

≑

そして時は流れ——現代。

剣八《けんぱち》の名は十代目の鬼巌城剣八《きがんじょう》を経《へ》て、十一代目の更木剣八《ざらき》へと受《う》け継《つ》がれている。

だが、八代目が誰かに敗れた、という記録は無い。

勝敗だけではない。八代目剣八に関する記録は、四十六室《しじゅうろくしつ》の指示によって全《すべ》て抹消《まっしょう》され、尸魂界《ソウル・ソサエティ》の何処《どこ》にも存在していないのだ。

だが、彼の存在自体は、多くの死神達の心に深く刻《きざ》みこまれていた。

尸魂界《ソウル・ソサエティ》の存在そのものを危機に晒《さら》した、稀代《きだい》の大罪人《たいざいにん》として。

三章

現在　虚圏《ウエコムンド》

無限に続くかと思える白砂《はくさ》の海。

暗闇《くらやみ》の中に広がる、広大にして空虚な世界。

それが虚《ホロウ》達の辿《たど》り着《つ》く先であり故郷ともいえる世界、虚圏《ウエコムンド》だ。

だが、砂や石英《せきえい》の木以外、何も存在しないというわけではない。現世《げんせ》では考えられない程《ほど》の巨大な建造物が、砂漠と調和して一つの風景を造り出している。

白い砂漠の中に立つ純白の宮殿、虚夜宮《ラス・ノーチエス》。

所々が破壊されたその広大な建造物を背景に、白い砂漠が静かにその身を横たえている。


と、その静寂《せいじゃく》は、砂漠の彼方《かなた》より現れた少女の悲鳴によって打ち破られた。

「やぁあわわわわわぁぁああ――――ッ！　た、助けてけろ――――ッ！」

砂飛沫《すなしぶき》を上げながら虚圏《ウエコムンド》を駆けるのは、帽子のように髑髏《どくろ》を被《かぶ》る、幼い姿の破面《アランカル》だった。

緑色の髪を砂まみれにしながら、獅子《しし》に追われる兎《うさぎ》のように、走る、走る、ただ走る。

彼女の名はネル・トゥ。

虚圏《ウエコムンド》に住む破面《アランカル》の一人であり、虚夜宮《ラス・ノーチェス》周囲の砂漠を住処《すみか》としている少女だ。

そのすぐ後ろには、奇声をあげながら走る二体の虚《ホロウ》と、大蛇《だいじゃ》と蚯蚓《みみず》を合わせたような巨大な異形《いぎょう》の姿があった。

「シュシュシュシュシュッ！」

「ばほはははははははっ！」

クワガタ虫を思わせる仮面を被ったスマートな虚《ホロウ》――ペッシェ・ガティーシェ。

体の半分以上もある仮面を身につけた奇妙な虚《ホロウ》――ドンドチャッカ・ビルスタン。

そして、長大な体を砂の海にくねらせる巨獣――バワバワ。

ネルを含《ふく》めたこの三人＆一匹は、共に砂漠に暮らす家族のような関係だった。

彼らは『グレート・デザート・ブラザーズ＋1《怪盗ネルバドンペ》《熱砂の怪力四兄弟》』。

様々に名乗りながら、砂漠を彷徨《さまよ》う虚《ホロウ》の一団だ。

基本的に娯楽が無い虚圏《ウエコムンド》の砂漠の中で、彼らは毎日のように『無限追跡ごっこ』に興じている。ドMのネルを半泣きになるまでひたすら追い回すという、虚圏《ウエコムンド》の中でも彼らだけが嗜《たしな》む特殊な遊びだったのだが——

今日は、些《いささ》か様子が違っていた。

「シュシュシュシュシュシュっ！　ま、まずいぞ！　これは非常にまずい！」

「ばほはははははははっ！　ぼはっ……ばはっ……も、もう限界でヤンス～！」

ネルだけではなく、ペッシェとドンドチャッカも半泣きとなっており、バワバワまでもが悲鳴に近い鳴き声をあげている。

普段はネルが逃走者役となる無限追跡ごっこだが、この日は——三人＋一匹が全員逃走者となっていた。

彼らを追うのは、小さな影。

「遊んでよ、ネル！」

砂漠を猛スピードで飛《と》び跳《は》ねる影は、逃《に》げ惑《まど》うネル達にそんな事を叫ぶ。

見た目だけを見るなら、ネルよりも少し年上といった雰囲気の少年だ。

完全な人型をしており、ヘッドホンのように変形した仮面を頭につけている破面《アランカル》の子供。

その隣を並走する、お下げ髪の——やはり破面《アランカル》の少女が続いて叫ぶ。

「ねえねえ、遊びましょうよ！」
彼女の後ろを跳ねる、最下大虚《ギリアン》のような姿をした――しかし、大きさは子犬ほどしかない虚《ホロウ》が、ギチギチと仮面を震わせた。
「アソ　ン　で　俺　と」
他にも、様々な姿をした『小さな影』が、口々に何かを呟《つぶや》きながら、砂漠の中でネル達を追い続ける。
彼らの数は――軽く百体を超えていた。

「遊ぼう」　「遊びましょう？」　「遊んでよ」

「遊ぼう」　「なんで逃げるの？」　「鬼ごっこだね！」

「たのしそう！」「面白《おもしろ》そう！」「混ぜて！」「私達もいれて！」

「僕たちが鬼だよ！」　「Ａｇｗｏｏｏｏｏｏ」「遊んで……ほしい、かも……」

「遊ぼうよ！」　　　　　「貴方達《あなた》が贄《にえ》ね！」　　「オイシソウ」

「捕《つか》まえたら針千本のませるね！」　「にガ　さ　ナい」

「Ｑｒｒｒｒｒｒｒｒ」　「指も切らなきゃね！」

「一万回殴《なぐ》ってもいいんだよね！」　「タベテモイイ？」

と、ケラケラ笑いながらネル達を追う、様々な『子供』の姿をした『破面《アランカル》』達。
まるでトビウオのように砂の海を飛び回る集団は、ネル達にとっては鮫《さめ》の群《むれ》のように思えた。何しろ、彼らは遊ぼう遊ぼうと言いつつ、時折《ときおり》虚閃《セロ》などを撃《う》ち出《だ》してこちらの足を止めようとしてくるのだ。
彼らの多くは十歳前後の少年少女の姿をしていたが、中には人の姿をしていない者も含まれている。
ネル達は知らない事だが、第9十刃《ヌベーノ・エスパーダ》のアーロニーロの頭部のような姿をした者すら存在しており、そもそも会話が成立しなさそうな動物型の虚《ホロウ》も見受けられた。

だが、彼らには『子供である』という他に、一つの共通点が。

全員の体の一部に、それぞれ『１０２』という黒い数字が刻《きざ》みこまれていたのである。

「な、な、なんという不運！　ま、まさっ、まさか、ピカロに見つかってしまうとは！」

半泣きで走りながら、ペッシェが叫ぶ。

それを受けて、ドンドチャッカも涙を流しながら口を開いた。

「ルヌガンガがいなくなったから、あいつら虚夜宮《ラス・ノーチェス》から出てきて好き放題でヤンス～！」


『悪戯小僧《ピカロ》』


それが、子供型虚《ホロウ》の集団を表す名前だった。

個別の名前を持たず、一纏《ひとまと》めで『ピカロ』とだけ呼ばれる、奇妙な集団。

彼らは常《つね》に共に行動し、軍隊蟻《あり》やイナゴの群のように、集団そのもので一つの『個』として虚圏《ウエコムンド》の住人達に認識されていた。

『彼』であり『彼女』でもあるその集団は、百人以上の子供達から構成されている。

その群は『みんな』であると同時に『一つの個』でもあると見なされ——彼らは全員が

一纏めで『102』という『十刃落《プリバロン・エスパーダ》ち』の番号を持っているのだ。

　頭の中身は子供と変わらないのだが、その分だけ、虚《ホロウ》の根源の一つでもある『欲望への忠実さ』を抑《おさ》える理性が足《た》りていない。

　子供らしい欲望を携《たずさ》え、彼らは誰よりも無邪気《むじゃき》に、誰よりも自由に虚圏《ウエコムンド》を飛び回る。

　元はバラガンという『王』が退屈しのぎに自身の配下の一翼《いちよく》として放置していた集団で、藍染《あいぜん》という新しい『王』がやってきた後、一時的に十刃《エスパーダ》に加えられたのだが——組織の一員として機能しないと判断され、彼らは十刃落《プリバロン・エスパーダ》ちとして『3ケタの巣《トレス・シフラス》』に送られた。

　虚夜宮《ラス・ノーチエス》から抜け出し、現世等で好き勝手な事をしないよう、基本的に水以外には無敵という特性を持つルヌガンガという虚《ホロウ》が、絶《た》え間《ま》ない砂嵐で彼らを虚夜宮《ラス・ノーチエス》の一部に閉じこめていたのである。

　だが、藍染が虚圏《ウエコムンド》を去り、ルヌガンガも朽木《くちき》ルキアの手によって倒された現在、彼らはこうして自由に砂漠を飛び回っているのだ。

　時折『遊び相手』を見つけては、壊れて動かなくなるまで遊び倒す。

　それが彼らにとっての日常であり——

　目をつけられた力の無い者達にとって、彼らは日常の終わりを告《つ》げる悪夢の集団となる。

今回日常の終わりを告げられたネル達は、必死に走りながらその運命に抗《あらが》っていた。

「い、一護《いつご》ー！　助けて一護《いつご》ー！」

数時間に及《およ》ぶ逃走を経《へ》て、頭がフラフラとなったネルは、既《すで》に虚圏《ウエコムンド》から去った死神の名前を呼んだ。


今から一年半程前、彼女達はこの砂漠で、黒崎一護《くろさきいちご》という死神と出会った。

仲間を救いに来たという一団と共に行動する間、ネルもまた、何度も一護に助けられる。

そして、ネル達は更《さら》なる危機に晒《さら》されたのだが——彼女の記憶は、そこで途切《とぎ》れていた。

十刃《エスパーダ》の一人、ノイトラによって一護がピンチに陥《おちい》った事までは覚えているのだが、その先の記憶が断絶している。

意識を取り戻したネルの目の前にいたのは、鬼神《きしん》のような顔をした恐ろしい死神で、ネルはその後の騒ぎを命からがら切り抜けた。

直後、最初に一護と共にいた滅却師《クインシー》や人間達と再会したネル。

彼らから『一護は先に現世へと帰ってしまった』と聞き、ネルは恩人の無事を喜ぶと同時に、別れの挨拶《あいさつ》すらできなかった事を悲しんだ。

「そ、そっだら、ネルも現世さ行ぐっス！　一護《いっご》にお礼さ言わねばなんねっス！」

空座町《からくらちょう》の場所を知らぬネルは、無理を言って滅却師《クインシー》達について行こうとしたのだが――

「おや、生きたサンプルがまだ残っているじゃあないかネ！」

と、先刻の鬼のような死神とは別の、顔に毒々しい装飾を施《ほどこ》した死神が現れ、実験体として連れ去られそうになったネル達は再び逃走する事となる。

滅却師《クインシー》達がその不気味な死神を足止めしてくれたおかげで、ネル達は無事に逃げ切る事ができたものの――再び同じ場所に戻って来た時は、既に死神達も滅却師《クインシー》達も帰ってしまった後だった。


その時から抱《かか》え続ける寂《さび》しさを紛《まぎ》らわせる為《ため》、一護《いちご》の名前はなるべく出さぬようにしていたのだが、危機的状況に、思わずその名を叫んでしまうネル。

ペッシェとドンドチャッカはその名前に反応し、互いに顔を見合わせた。現在は、いくら名前を叫ぼうとも、既に虚圏《ウエコムンド》を去った一護は現れないのだ。

ならば、大事な妹である『守るべき者』をこれ以上不安にさせてはならぬ、悲しい思いをさせてはならぬと、決意をこめてその場に立ち止まる。

「このままでは埒《らち》が明かん！　行くぞ兄者《あにじゃ》！　プランBだ！」

「了解でヤンス！」

珍しく息ピッタリで声をかけ合ったかと思うと――

ドンドチャッカはその場で高く跳《と》び上《あ》がり、砂漠に思い切りボディプレスを叩《たた》きこんだ。

爆発でも起こったかのように、砂塵《さじん》が天高く舞い上がる。

同時に跳び上がっていたペッシェがドンドチャッカの背に着地し、口から『無限の滑走《インフィナイト・スリック》』と自称する粘液《ねんえき》を吐《は》き出《だ》した。実際は有限ではあるものの、ちょっとした池や沼を軽く超える量の粘液を放出し、ドンドチャッカの巻き起こした砂柱に絡《から》ませたのだ。

粘液と砂が混じり合い、粘菌《ねんきん》のようになった砂柱が、ペッシェ達の周囲に降《ふ》り注《そそ》ぎ――

ピカロ達を巻きこみながら砂の大地に広がった。

「わあ！」「なにこれ！」「面白い！」

無邪気《むじゃき》に騒ぎながら、砂粘液に搦《から》め捕《と》られていくピカロ達。

「よし！　これで時間稼《じかんかせ》ぎができた！　今のうちに逃げるぞ兄者！」

「了解でヤンス！　急ぐでヤンスよ、ネル！」

そして、二人は前に向き直り――

彼らを中心として放射状に広がった砂粘液に搦め捕られ、窒息《ちっそく》しそうになっているネルの姿を発見した。

「ネ、ネル――――っ!?」

「計算外でヤンス～ッ!」

白い面《めん》を更《さら》に蒼白《そうはく》に塗《ぬ》り替《か》え、ネルに駆け寄る兄二人。

溺《おぼ》れかけたネルは、窒息こそしなかったものの、目を回して意識を失っている。

とりあえずは生きているという事実に、二人がホッとしたのも束《つか》の間《ま》――

「面白かった!」「ねえ、もう一回やってもう一回!」「まル　カ　じリ」「Ｇｒｒｒｒ」

と、粘液を振り払った破面《アランカル》の子供達が砂の中から次々と姿を現し、一斉《いっせい》にペッシェ達に笑顔を向けた。

その光景に戦慄《せんりつ》しかけたペッシェだったが、ネルの意識が失われているのを確認し、数秒迷った後にドンドチャッカに顔を向けた。

「むう……これは使いたくなかったが……やるぞ、ドンドチャッカ!」

普段ネルには見せない真剣な表情で、二人の虚《ホロウ》が頷《うなず》き合《あ》う。

「いつでもＯＫでヤンス!」

次の瞬間、ペッシェがドンドチャッカの肩へと飛び乗り――二人はそれぞれの前面に収《しゅう》束《そく》させた霊力を共鳴させ、周囲の霊子《れいし》を取りこみながら数倍にまで増幅させる。

「「融合虚閃《セロ・シンクレテイコ》！」」

二人が同時に叫んだ瞬間、圧縮された霊力が一気に放出され、通常とは比《くら》べものにならない威力《いりょく》の虚閃《セロ》が放出される。

反応するヒマもないまま、閃光《せんこう》に巻きこまれて吹き飛んでいくピカロ達。

「やったか⁉」

以前この技《わざ》を使用した時は、十刃《エスパーダ》を倒すには到《いた》らなかった。

しかし、ピカロ達は十刃落《プリバロン・エスパーダ》ちであり、個々の力はそう強くない。

消滅はさせられないまでも、戦闘不能状態に追いこむ事はできるだろうと踏んだのだ。

実際、半分ほどのピカロ達が、砂の上にひっくり返って倒れこんでいるのを確認する。

だが——それは同時に、もう半分のピカロ達が、まだ立っているという事を示していた。

「くっ……こいつら、昔より強くなっていないか⁉」

「た、多分、藍染様やバラガン様達がいなくなった後に、虚夜宮《ラス・ノーチエス》の周《まわ》りに集まってきた中級大虚《アジューカス》とかを喰《く》いまくったんじゃ……」

緊迫《きんぱく》した表情のペッシェ達とは対照的に、ピカロ達は笑いながら口を開く。

「なに今の！　凄《すご》い！」「かっこいい！」「ねえねえ、どうやるの？」「どうやったの!?」

「こう？」「こうかな？」「イた　カっ　た」「僕もやる！」「私もやる！」「オレモ！」

ピカロ達は、倒れている仲間達は疎《おろ》か、自分達の傷にすら目もくれず、瞳《ひとみ》を輝かせながら右腕や口、額《ひたい》など、それぞれの体の一部をペッシェ達に向けた。


「虚閃《セロ》」　「虚閃」　「虚閃」　「虚閃？」　「虚閃」　「せろ」　「虚閃」　「虚閃」

　「セろ」　「虚閃！」　「虚閃」　「虚閃」　「虚閃」　「虚……閃……」

「虚閃」　「虚閃」　「虚閃！」　「虚閃」　「虚閃」　「虚閃」　「虚閃！」　「せろ」

　「虚閃！」　「虚閃」　「虚閃」　「虚閃」　「虚閃」　「セロ！」　「虚閃」

「虚閃」　「虚閃」　「虚閃」　「虚閃」　「虚閃」　「虚閃」　「虚弾《バラ》」　「虚閃」

　「虚閃」　「せ……ろ……？」　「虚閃」　「虚閃!?」　「虚閃」　「虚閃」

「虚閃」　「虚閃」　「虚閃」　「虚閃」　「虚閃」　「虚閃」　「虚閃」　「虚閃」


「ちょっと待て！　それ、ただ単に虚閃《セロ》をいっぺんに撃つだけ――――」

――というか今、誰かどさくさに紛れて虚弾《バラ》って――

ペッシェのツッコミは、最後まで口に出す事は疎《おろ》か、頭の中で言い切る事すらできず、閃光と砂塵の中に掻《か》き消《け》された。

虚閃《セロ》の20倍の速度で到達した虚弾《バラ》を皮切りに、次々と砂漠を抉《えぐ》る50発以上の閃光。

それだけでは飽《あ》き足《た》らないとでも言うように、次々と虚閃《セロ》を撃ち続ける子供達。


数十秒後、ようやく彼らが虚閃《セロ》を撃つ手を止めた時には——砂漠に巨大なクレーターが出来上がっており、その中心には何も残っていなかった。

「あれ？」「いないよ？」「消えちゃったぁ」「死んじゃった？」「こなごな？」「粉々！」

「ちぇっ。ネルとは友達になれると思ったのに」「ネル、かわいそう！」「ハラ　ヘッタ」

「どウしヨう」「残念だったねー」「うわーん、ネルー」「アハハハハ！」

様々な反応を見せながらそのクレーターを眺《なが》めるピカロ達だったが——

「で、次はどうする？」

ヘッドホンのような仮面の名残《なご》りを頭につける少年の言葉を皮切りに、全員が同じように笑い、語り合う。

「遊ぼう！」「遊ぼうよ！」「誰と遊ぶ？」「誰で遊ぶ？」「俺　アソ　ぶ　誰か」

「ルドボーンは？」「飽きた！」「あいつ、おんなじ兵隊しか生まないんだもん！」

「あいぜんさまもバラガンさまもいなくなったのに、なんかアイツえらそうだよね！」

「ルピは？」「とっくにいないよ」「いなくなっちゃったね」「死んじゃったの？」

「誰か知ってる？」「知らない！」「ルピと殺し合いするの、愉《たの》しかったのにね！」

「クッカプーロは？」「どこにいるか知らないー」「ガンテンバインはー？」「知らなーい」

次々と意見は出るものの、同じペースですぐに廃案《はいあん》となる、子供同士の不毛な会議。

「じゃあ、大虚《メノス》の森にでもいく？」「あそこ、すっごく強い赤毛の死神がいるんだって！」

「愉しそう！」「面白そう！」「殺して遊ぼう！」「殺されて遊ぼう！」

自分達の生死すら『遊び』の一環に過ぎない子供達は、悪意よりも厄介《やっかい》な無邪気《むじゃき》さを携え、大虚《メノス》の森に向かおうとしたのだが――

「……？」「？」「？」「！」

奇妙な霊圧《れいあつ》を感知し、彼らは砂漠の一点に目を凝《こ》らした。

すると、そこには――顔面の右半分を髑髏面《どくろめん》で覆《おお》う、寂しげな顔の女性が立っていた。

「あっ、あの人だ」「そうだ、あの人だね！」「あの人だよ！」

「誰だっけ？」「えーと」「虚夜宮《ラス・ノーチエス》で見た事あるよ！」

「でも、名前は知らないわ」「誰だろう」「聞いてみようよ！」「聞いたら、遊ぼう！」

子供達は興味を抱《いだ》き、一斉《いっせい》にその女性へと近づいた。

しかし、女性はちらりとこちらを向いたかと思うと、その姿を、空気の中に溶《と》けこませるかのように消し去ってしまった。

「え？」「なにいまの！」「凄い！」「初めて見た！」

突然の現象に、ピカロ達はざわめいた。

特殊な反膜《ネガシオン》や黒腔《ガルガンタ》を利用して姿を消す大虚《メノス》はいるが、今のように、ゆっくりと透けていく形で消え去るという現象を見るのは初めてだったのである。

「面白そう！」「追いかけよう！」「探そう！」

「みんなで探査神経《ペスキス》をやればすぐ見つかるよ！」「きっと見つかるね！」

「でも、変だったよね」「変だった！」「た、たしかに、変でした……」「なニ　が　？」

「女の人の他に、誰か知ってる人の霊圧があったよね！」「う、うん……」「そうだね」

「誰のだったかしら？」「えーと、えーと」「え　エ　ト」「思い出せないや！」

「じゃあ、最初に誰だったか当てた奴《やつ》の勝ちね！」「女の人を見つけた人も勝ちよね！」

子供達は好奇心に全身を震わせると――探査神経《ペスキス》によって何かを感じたのか、一斉に黒《ガル》腔《ガンタ》を開くと、融合虚閃《セロ・シンクレティコ》によって倒れた仲間達を肩に担《かつ》ぎ、断界《だんがい》の中へとその身を躍《おど》らせた。

「…………」

そして、砂漠には沈黙が訪れる。

数分の静寂を確認した後、虚閃《セロ》の一斉射撃によって出来たクレーターの中央から、一つの影が飛び出した。

「ぶあはあぁっ！　ほ、本当に死ぬかと思ったでヤンス……！」

次の瞬間、ドンドチャッカは自《みずか》らの口を開け——体の半分以上に開かれた巨大な口腔《こうこう》、その奥にある『闇《やみ》』の中から、いくつかのものを吐き出した。

まず最初に、明らかにドンドチャッカの体積を上回る巨獣——バワバワが姿を現し、続いてネルとペッシェが吐き出された。そして最後に、大量の砂がクレーターの中に吐き出されていく。

ドンドチャッカの口腔内は異次元空間に繋《つな》がっており、自分の体積よりも遥《はる》かに巨大な物を呑《の》みこむ事ができる。それを利用して、彼はネル達を呑みこみ、続いて砂を呑む形で下へ下へと喰い進む事によって、間一髪、虚閃《セロ》の一斉射撃を回避したのである。

「ウゴゴ、砂が鼻にも入っちまったでヤンス……」

「で、でかしたぞ！　この作戦を今後、プランCと名づけよう！　奴らの探査神経《ペスキス》を逃《のが》れる程に深く潜《もぐ》るとは、やるな兄者！」

彼らが探査神経《ペスキス》を全《まった》く別の気配に集中させていたとは知らず、ヘロヘロになりながら親指を立てるペッシェだが——周囲に漂う霊圧の残滓《ざんし》を感じ取り、不意に表情を強《こわ》ばらせる。

「……………？」

「どうしたでヤンスか？」

「いや……、ピカロとは違う、身に覚えのある霊圧を二つ感じたんだが。……まさかな」

気のせいだと自分に言い聞かせ、まだ意識を失ったままのネルを介抱《かいほう》するペッシェ。

ネルはすぐに目を醒《さ》まし、あたふたとしながら周囲を見渡した。

「どひゃあっ！　な、何っスか!?　ネルは何がどうなったっスか!?」

怯《おび》え切《き》っていたネルだったが、周囲にピカロの姿がいない事を確認すると、安堵《あんど》の息を漏《も》らして首を振った。

「さ、さっきのは、ドＭのネルでも洒落《しゃれ》さなんねー恐さだったっス……。で、でも、ピカロのみんなは、どこさ行ったっスか？」

不安げに尋《たず》ねるネルに、ペッシェは探査神経《ペスキス》を張《は》り巡《めぐ》らせて答える。

「砂漠にはいないようだ。恐らく黒腔《ガルガンタ》を通って、現世かどこかに行ったんだろう」

「現世？　い、一護《いつご》たつは大丈夫っスか？」

先刻名前を叫んだせいで、ネルの頭の中には一護の事が強く渦巻《うずま》いているようだ。

そんな『妹』を安心させるように、ペッシェはその肩に優しく手を置きながら告げる。

「大丈夫だネル。彼なら、ピカロの連中ぐらい、こう、なんだ？　剣の一撃でウワーっと追い払ってくれるに違いない！」

「……それもそうっス！　一護は本当に凄い男だから、ネルも安心っス！」

黒崎一護という死神の強さを知っているネルは、安堵の笑みを浮かべながら頷いた。

だが、ネルは知らなかった。

一護が現在、死神としての力を全て失っているという事を。

それどころか霊力すら失い、仮にネルが現世に行ったとしても、会話をする事すらできないのだという事を。

ただ、ネルは次の事も知らなかった。

現在、空座町を一護の代わりに守る者も少なからず存在しているという事を。

一人の頑固な滅却師《クインシー》と、アフロヘアが特徴的な慌《あわ》ただしい死神。

そして、人知れず街《まち》を救う彼らとは違い——多くの人々にその名を知られた英雄が一人。

英雄の名は——

四章

『その名はもちろん、ミスター……ドン・観音寺《かんおんじ》！』

恰幅《かっぷく》のいい司会者がその名を呼ぶと同時に、周囲の照明が一斉《いっせい》に輝き、一人の男を照らし出す。

「ボハハハハハハー！」

周囲から贈られる惜しみない拍手。その音と歓声《かんせい》を全身で受け止めながら、男は世界中の人間に伝えるかのように、一つの言葉を叫びあげる。

「スピリッツ・アー・オールウェイズ・ウィズ・ユーッ《霊はいつでも貴方と共に》！」

その声に応《こた》えるかのように、周囲の観覧者達が一斉に腕を胸の前で交差させ、現れたヒーローと同じように笑い、快《わら》い、愉《わら》う。

「「「「ボハハハハハハ――――ッ！」」」」

何かの威嚇《いかく》の一種かと思える程《ほど》に派手な姿を輝かせる男は、人々の笑顔を見て満足そうに頷《うなず》くと、スッと両手を挙《あ》げ、興奮する観客達を落ち着かせた。

「ＯＫＯＫ！　グレイトフル！　ユー達のナイスヴァイブは、私のソウルをこれまでにないほどイグニッションさせてくれた。もう一度言わせて貰《もら》おう！　……グレイトフル！」

彼はサングラスをキラリと輝かせ、そのままマントを翻《ひるがえ》す。

ドレッドヘアに派手な衣装、ピッチリとまとめられた口髭《くちひげ》が特徴的な怪《あや》しい男だったが
――観客は、そんな男の姿に完全に魅《み》せられてしまっていた。

再び沸《わ》き立《た》つ歓声。

日が落ちてからの撮影だというのに子供の姿も数多く見受けられ、誰もが目を輝かせ、男の挙動を見守っていた。

早い話――男は、多くの人々にとって確かに英雄なのである。

観音寺《かんおんじ》ミサオ丸《まる》――通称、ドン・観音寺。（本名：観音寺美幸雄《みさお》）
彼はカリスマ霊媒師《れいばいし》であり、全国の子供達にとってのヒーローでもある。

『ぶらり霊場 突撃の旅』はかつて毎週25パーセント以上の高視聴率を誇《ほこ》った事もある番組だが、最近は視聴率にも高低の波があり、時間枠《わく》も季節ごとに深夜とゴールデンの間を行き来しているような状態だ。

しかし、ドン・観音寺のテンションに変わりはない。

彼はたとえ視聴者がたった一人しかいなかろうと、その視聴者の為《ため》に全力でヒーローであろうとし続ける事だろう。

番組スタッフやプロデューサーもそれは解《わか》っていたものの、『なんとかこの空座町《からくらちょう》特番で看板番組に返り咲こう』という思いは強く、自然と今回の特番にも力が入っていた。

だが——スタッフがいくら力を入れようとしても、以前の空座町特番のように派手なマネはできない理由があった。

「むう……思うのだが、やはり今回も以前と同じように、スカイダイビングで現れた方が良かったのではないかね？　子供達の何人かは、空を見上げて私へのスタンディングオベーションをスタンバッていたのだが……」

初日分の収録が終わった後、観音寺はステージの裏で、プロデューサーの男にそう問いかけた。

すると、番組プロデューサーが溜息《ためいき》を吐《つ》き、困ったように言葉を返す。

「そりゃしょうがないよミサオちゃーん。前の時とは違ってさ、この街《まち》って色々とほら、事件が起きたじゃない？　だからさ、役場の方も、なんてーの？　こういう霊的な番組への協力は渋《しぶ》ってるらしいんだよねえ」

空座町は、二年近く前までは、霊的スポットが妙に多いという事と、小野瀬川《おのせがわ》の花火大会が有名な程度の街だった。だが、立て続けに起こった住民の大量死事件により、暫《しばら》くの間は暗い空気が街の中に立ちこめていたのである。

虚圏《ウエコムンド》から現れた十刃《エスパーダ》、ヤミーの『魂吸《ゴンズイ》』による住民の殺戮《さつりく》。あるいは、空座町の尸魂界《ソウル・ソサエティ》移転前後、崩玉《ほうぎょく》と一体化した藍染《あいぜん》に接触した為に死亡した者達の件については、表向きは『自然発生した毒ガスが原因』という事で片づけられた。

もっとも、死神や虚《ホロウ》の存在を知らない役場の人間にとっては、そうして無理矢理原因をこじつける事しかできず、細かい矛盾《むじゅん》などは尸魂界《ソウル・ソサエティ》が記換神機《きかんしんき》で調整した形となっている。

今回の『ぶら霊』収録自体を断《ことわ》ろうという意見もあったのだが、あまりにも不可解な事件が続いた事に、『もしも本当にこの土地に何かあるのならば、霊能者に視《み》て貰《もら》った方がいいのではないか？』という神頼みに近い案と、『テレビの舞台として貰う事で、もうあんな事件は起こらない安全な街だという事を示そう』という楽観的な案が合わさって、最終的に撮影許可が下りたのである。

「だからさぁ、ミサオちゃんもここで一発、カコーンと悪霊《あくりょう》とかやっつけちゃおうよ！　ほら、前にここで収録した時、凄《すご》かったじゃない⁉　ミサオちゃんが見えないなんかと戦って、ドゴーンとかバゴーンとかさ！　高校生ぐらいの子達が何かに取《と》り憑《つ》かれたように乱入してくるし、ああいうハプニングも含《ふく》めていい映像《え》が撮《と》りたいわけよ！」

「ノン！　その考えは些《いささ》かアンビューティフルではないかねプロデューサー君？　この私の熱いバトルシーンに子供達が沸《わ》き立《た》つのは容易《ようい》に想像できるが、世の中がピースフルであるに越したことはないのだよ！　我々がハプニングを望んでどうするのかね！」

「いやいや、ハプニングを望んでるわけじゃないよー？　でもさ、望んでも望まなくても、結局悪霊はいるわけじゃない？　そいつらを倒して平和を生み出す為の戦いを、ミサオちゃんの、即《すなわ》ちドン・観音寺の勇気を全国の子供達に届けたいんだってばよ！」

「むう……確かに納得《なっとく》できる！」

僅《わず》か30秒でプロデューサーに丸めこまれた観音寺は、手に持つステッキをクルクルと回しながら考えこんだ。

「しかし、バッドソウルがそう都合《つごう》よく私の前に現れるとは限らんし……そもそも今回の企画は、あの髑髏面《どくろめん》のレディを除霊《じょれい》する事ではないのかね？」

髑髏面の女については、ドン・観音寺も事前に資料を確認していた。

確かに、観音寺には見覚えのない存在だったが――その髑髏面の質から、虚《ホロウ》に関《かか》わりのある何かなのではないかと推測できる。

ここ一年程《ほど》、別番組の海外ロケなどもあって中々休暇が取れなかった観音寺は、空座町に来ること自体が久しぶりという状態だった。

以前は毎日のように訪れ、空座防衛隊のリーダーとして数名の仲間と虚《ホロウ》を撃退していたのだが――最近は、そうした面々ともすっかりご無沙汰《ぶさた》となってしまっている。

「ふむ……明日は、情報収集がてら、久々に防衛隊に活を入れる事にしよう」

今回の収録は三日間。特設ステージで何かをやるのは基本的に夜だが、その『髑髏面の女性』の目撃談は常時募集しており、情報が寄せられ次第《しだい》、いつでもロケバスで駆けつけられるようになっている。

ただし、ドン・観音寺本人が乗るのはロケバスではなく、彼が自前で所有している高級車なのだが。

観音寺は特設ステージの裏に駐《と》めていた愛車をポンポンと叩《たた》きながら、プロデューサーや後片づけ中のスタッフを尻目《しりめ》に独《ひと》り言《ごと》を呟《つぶや》いた。

「ふふ、この日の為に下《お》ろした我《わ》が新車『ジャンヌダルク』の勇姿に、隊員達やマイ一番弟子もメロメロとなり、私に尊敬の眼差《まなざ》しを向ける事であろう」

外国製の高級オープンカーの横でポーズをつける観音寺。彼はそのまま自分の姿に酔《よ》いそうになったのだが——


バン、という物音と同時に湧《わ》き上《あ》がった『寒気《さむけ》』が、その陶酔感を一瞬で醒《さ》ます。


「!?」

観音寺は『寒気』に、スタッフやプロデューサーは『音』に反応し、その場にいた全員が同じ場所——観音寺の車の後ろに駐められていたロケバスの屋根へと目を向けた。

すると、観音寺は、屋根の上に降り立ったと思《おぼ》しき、小柄《こがら》な影を見つける。

一見すると人間の少年のようだが、背後の空間には獣《けもの》の口のように開かれた漆黒《しっこく》の穴が存在し、視《み》ただけで『生者《せいじゃ》の類《たぐい》ではない』という事は理解できた。

同時に、観音寺はその白いヘッドホンをつけた少年が、通常の浮遊霊等とは全《まった》く違う——虚《ホロウ》によく似た、しかし比《くら》べものにならない程に濃密な気配を纏《まと》っている事を確認する。

空気中の亀裂《きれつ》はすぐに閉じ、少年は屋根の上を歩き回り始めた。その度《たび》に周囲に足音が響《ひび》き渡《わた》り、スタッフ達の顔が徐々《じょじょ》に怪訝《けげん》な色に染《そ》まっていった。

「おっかしいなー。このへんだと思うんだけどなー」

独り言をブツブツ呟いていた少年は、周囲をグルリと見渡す。

そして、自分に集まる無数の視線に気づき、無邪気《むじゃき》な笑顔を浮かべて話しかけた。

「あ、ねえねえ、おじさん達ー。僕のこと、視えてる？　声、聞こえてる？　このへんが一番人間の気配が多かったから来てみたんだけどさ」

小さい声ながらも、周囲の騒音を突き抜けて空間に響くかのような声。

だが、その声や姿を認識する事ができたのは、ドン・観音寺一人だけだった。

「ＯＫＯＫ、ユーのボイスはハッキリと私に届いているよ、ボーイ」

周囲のスタッフ達は顔を青くし、一斉《いっせい》に観音寺の方に目を向ける。

「……み、ミサオちゃーん。あそこ……もしかして、なんかいるの？」

観音寺は霊感のないプロデューサーの声に頷《うなず》き、説明しようとしたのだが――

それよりも先に、屋根の上の『白装束《しろしょうぞく》の子供』が観音寺に笑いかけた。

「えーっと、視える人って、おじさん一人だけかな？　おじさん誰？　死神さん？」

「ノー！　私はオジさんでも死神でもない！　カリスマ霊媒師《れいばいし》、ドン・観音寺と呼んでくれたまえ！　もう一度言おう！　私の名は……ドン・観音寺！」

相手がどんな気配を持っていようと、自分を崩《くず》さずに決めポーズをとる観音寺。

だが、子供は首を傾《かし》げた後、ケラケラと笑う。

「へんな名前ー。鈍感音痴《どんかんおんち》さん？」

「馬鹿な⁉　一文字違いで私の芸名《ソウルネーム》がそんな悲しい事態になろうとは⁉」

「めんどくさいから、ドンカンおじさんでいいや」

「ノーッ！」

ストレートに告《つ》げられた子供の声に、観音寺はショックでフラリと倒れかけた。

子供の姿は疎《おろ》か、声すら聞こえないスタッフ達からすれば、何か呪《のろ》いでも掛けられているのではないかと不安になるが——観音寺はなんとか持ちこたえ、少年に向き直る。

「ぬう。見解の相違はとりあえず横に置くとして……。君は一体何者なのかねボーイ？　私の事をお父さんやお母さんを捜《さが》しているのかな？　だとするならばドンウォーリー！　グレートファーザーと思ってなんでも相談したまえ！」

明らかに通常の子供の浮遊霊や地縛《じばく》霊とは違うのだが、特に何も考えず、そうした霊の場合と同じ対応をする観音寺。

白装束の子供は、一瞬キョトンとした後、嬉《うれ》しそうに笑って告げた。

「ほんとに？　ちょうど良かった！　僕達、お父さんとかお母さんじゃないけど、人を捜してるの！　顔の半分に、髑髏のお面をつけてるお姉ちゃん！」

「ほほう、ボーイは髑髏のマスクをつけたレディを……。……？　それはもしや、私の捜していたのと同じレディでは？」

「あれ？　おじさんもあのお姉ちゃんを捜してるの？」

無邪気に笑う少年は、何か面白《おもしろ》い事を思いついたとでも言うように目を輝かせる。

「じゃあ、おじさんとも競争だね！　どっちが早くあのお姉ちゃんを捕《つか》まえるか！」

「ほう……この私に勝負を挑《いど》もうと言うのかねボーイ」

何故《なぜ》か乗り気になる観音寺に、少年は一際《ひときわ》無邪気な笑顔を浮かべる。

「それじゃ、僕達が勝ったら、一緒に遊んでくれる？」

僕『達』という言い方が若干《じゃっかん》気になったものの、観音寺はその無邪気な要求をあっさりと受け入れる事にした。

彼らにとっての『遊ぶ』という行為が、いかに危険なものかも知らぬまま。

「ハッハッハ、オーケィオーケィ！　君が勝ったら、この大スターが特別に時間を割《さ》いて遊んであげようじゃないか」

「やったぁ！」

すると少年は、自分の耳につけたヘッドホンのような物を人差し指でコン、と叩き、

「みんな、聞いた？」

と呟いた。

「？」

少年の行動と言葉の意味が解らず、観音寺が首を傾《かし》げた瞬間——

街の空気が、一斉にざわめいた。

「ほんと？」「本当に？」「やったぁ」

「良かったね」「ヨカ　タ」「本トうニ遊んデいイの？」

周囲の木々の陰《かげ》から、ビルの屋上から、電柱の裏側から次々と小さな影が現れ、観音寺達のいる公園を取《と》り囲《かこ》み、嗤《わら》う。

「現世の人と勝手に遊ぶと怒られるのにね」「バラガン様にも」「とうせん様にも」

「二人とも、もういないよ！」「そういえばそうだね！」

「でも、ハリベルも駄目《だめ》って言うかも」「そうかな」「無視しちゃ駄目かな？」

「無視しちゃう？」「QRRRR……」「ほ、本当にいいのかなあ……？」

「だって、勝ったら遊んでもいいって言ってるんだもん！」「頑張らないと！」

「何シ　テ　アソ　ブ？」「鬼ごっこかな？」「おしくらまんじゅうがいい！」

「目潰《めつぶ》しがいい！」「殺して遊ぼう！」「殺されて遊ぼう！」

「殺されるのは無理だよ」「そのオジさん、凄く弱そうだし！」「美味《おい》シソウ」

「決めるのは後でいいわよ！」「まずは、あのお姉ちゃんを捜さないとね！」

物騒な事を騒ぎ立てながら、一斉に夜の町に散っていく異形《いぎよう》の少年少女達。

ロケバスの上に残っていた少年が、ヘッドホンをコンコンと叩きながら言った。

「それじゃあね、おじさん。僕達が勝ったら、ちゃんと全員と遊んでくれるよね？」

観音寺が答えるよりも先に、少年は自《みずか》らの背後に生み出した亀裂の中に足を踏み入れた。

「約束を破ったら、指を切って、ゲンコツ一万回で、針を千本呑《の》みこませるからね！」

彼の言葉が終わると同時に、空気中の亀裂が閉じる。バスの上から完全に姿を消した少年の霊力の残滓《ざんし》を感じ取りながら――観音寺は、難しい顔をして考えこむ。

そんな彼に、周囲から音が消えた事を確認したプロデューサーが、恐る恐る問いかけた。

「……ねえ、ミサオちゃん、どうしたの、難しい顔して、笑おうよー、ね？　ね？　そんでさ、何があったのか教えてくんない？」

だが、観音寺はそんなプロデューサーの問いには答えず、小さな声で呟いた。

「ふむ……。あの人数で遊ぶとなると……。サッカートーナメントか……二チームに分かれて五十人五十一脚競争か……これは難しい問題だ、どう思うねプロデューサー君？」

「えッ⁉　何が⁉」

混乱するプロデューサーをよそに、観音寺は自分が勝った時、何を子供達に要求しようかと考える。

そして――

「ううむ、子供達への罰《ばつ》ゲーム……今まで考えた事もなかったが……『今日一日、私と遊んで貰《もら》おうか！』と言って、最終的に一緒に遊ぶ形にする……ふーむ、少々ベタだろうか？　どう思うねプロデューサー君！」

「どうもこうも……。おおーい、誰か、ミサオちゃんを寝かせてあげて！　どうも、何かに取り憑かれたみたいだ！」

プロデューサーの声に、それまで怯《おび》えていたスタッフ達が我に返り、慌《あわ》てて観音寺をロケバスの中に寝かせようとする。

「ま、待ちたまえ君達！　私は大丈夫、取り憑かれてなどいない、ドンウォーリーだ！　勝負はもう始まっているのだよ！　休んでいるヒマなど……ウゴゴモゴ……」

大勢のスタッフに抱《かか》えられてバスの中に運ばれていく観音寺を見送りながら、プロデューサーは、不安半分、期待半分の笑顔を浮かべてみせた。

「これだよ、これ……。やっぱり空座町だと、美味しい映像《え》が撮れそうだねぇ！」

≒

そんな身勝手な期待をテレビスタッフ達が抱《いだ》いている頃――

観音寺との勝負を開始した『ピカロ』達は、街の中を広域にわたって探索《たんさく》していた。

だが、彼らは探査神経《ペスキス》を広げるうちに、気づく。

既《すで》に髑髏面《どくろめん》の女の気配は、現世から消えてしまっているという事に。

「あっれー、おかしいなあ。虚圏《ウエコムンド》に帰っちゃったのかなあ」

ピカロの一人がそう言って首を傾《かし》げた時、彼の側《そば》で黒腔《ガルガンタ》の口が開き、別のピカロが手を振った。

「おーい、こっちこっち」

「？」

仲間に呼ばれるまま、黒腔《ガルガンタ》の中に入ってみると――そこには、半分ほどの仲間達が集まって探査神経《ペスキス》を広げていた。少年もそれを見て、語るまでもなく自分の探査神経《ペスキス》を広げたところ――霊子《れいし》の奔流《ほんりゅう》の隙間《すきま》に、あるものを感じ取った。

「……なんだろ、これ」

普通の虚《ホロウ》や死神とは違う、奇妙な『霊圧《れいあつ》の残滓《ざんし》』が周囲に残っている。死神達の言う『霊絡《れいらく》』とも僅《わず》かに違う、かすかだが、ハッキリと形を残した残滓だ。

それは、まるで蜘蛛《くも》の糸のように細く、それでいて霊子の奔流を縫《ぬ》うように、途切《とぎ》れる事なく延々と伸びている。

「あっちって、何があるんだっけ？」

時間や空間が捻《ねじ》れた空間内で、明らかに何かを目指《めざ》すように伸びているその糸の先を見つめ、白ヘッドホンの少年が呟《つぶや》いた。

「えっとね、たしか……」「なんだっけ？」

ピカロ達は暫《しばら》く迷い、やはり答えは出ない流れになりかけていたのだが――

彼らの一人が、何かを思い出したように呟いた。

「……Qrrrr……覚えてる……あっち……藍染《あいぜん》様の来た方……Qrrrr……」

それを聞いて、ピカロ達は連鎖《れんさ》反応を起こしたかのように、一斉《いっせい》に思い出す。

「そっか！　あっちって多分……」

「尸　魂　界《ソウル・ソサエティ》だよ！」「尸　魂　界《ソウル・ソサエティ》だ！」

「面白《おもしろ》そう！」「たのしそう！」「……ハラ……ヘタ……」

思い思いの事を口にした後、子供達は、無邪気《むじゃき》な笑顔を浮かべて叫んだ。

先の事など何も考えず、自分達の好奇心に全《すべ》てを委《ゆだ》ね。


「行ってみよう！」

「賛成！」「さんせい」「う、うん、みんなが行くなら……」「Qrrr」

「行こう！」「はやく行こう！」「はヤ　く」

「尸　魂　界《ソウル・ソサエティ》へ」「尸　魂　界《ソウル・ソサエティ》へ！」


ピカロ達は、己《おのれ》の姿に見合った無垢《むく》さ故《ゆえ》に知らなかったのだ。

敵地である尸　魂　界《ソウル・ソサエティ》を前にした時に湧《わ》き上《あ》がるべき、畏《おそ》れや自制の精神というものを。

あるいは、自分達がいかに愚《おろ》かであるのかという事を。

それはある意味、彼らの欠点であると同時に、美点でもあると言えるのだが――

どちらに天秤《てんびん》が傾くか、彼ら自身には知る由《よし》もない。

これまでも――恐らくは、これから先も。

≑

同時刻　黒腔内《ガルガンタ》　某《ぼう》座標

現世と尸　魂　界《ソウル・ソサエティ》、そして虚圏《ウエコムンド》の間に存在する『狭間《はざま》の空間』。

通常の死神達が使う拘流《こうりゅう》に挟《はさ》まれた道とは違い、霊子《れいし》の嵐が渦巻《うずま》く黒腔《ガルガンタ》の道だ。

重厚な圧力に満ちた闇《やみ》、その中に出来た細い道を歩《あゆ》むのは――顔の半分を髑髏面《どくろめん》で覆《おお》う、若く美しい女だった。


歩いているのは彼女一人だが、その耳元に、別の存在の声が響く。

――ピカロか。厄介《やっかい》な連中に目をつけられたものだ。

――何故《なぜ》、あの場で姿を現したんだい？

――まさか、あんな姿になったネリエル達を助けようとしたわけじゃあないだろうね？

「申《もう》し訳《わけ》ありません」

悲しげな表情で、答えの代わりに謝罪の言葉を漏《も》らす女。

そんな彼女に、『耳元の声』は更《さら》に告《つ》げる。

――奴《やつ》らは落伍《らくご》者《しゃ》のゴミだ。気にかける必要性など皆無《かいむ》だよ。

――君もそのゴミの側に回りたいというなら、話は別だけどね。

「…………」

――だが、丁度《ちょうど》良かった。

――ピカロ達は、良い囮《おとり》になってくれる事だろう。

「囮、ですか」

――ああ、彼らほど使い捨てがいのある存在はそうそういないだろう？　数だけが取《と》り柄《え》の無駄《むだ》な存在なんだからね。僕に有効活用されるだけ、ありがたく思ってほしい所だ。

「……」

黙りこむ女に、『声』は意外そうな調子で尋《たず》ねかけた。

――どうしたのかな？　何か僕に意見でもあるのかい？

「いえ、何も……ありません」

——だったら、素直《すなお》に頷《うなず》いてもらいたいね。

——自殺願望でもあるのかと勘違《かんちが》いしてしまうじゃないか。

「……申し訳ありません」

——おっと、僕としたことが。

——君の場合は、自殺じゃなくて自壊《じかい》願望と言う方が相応《ふさわ》しかったね。

——なにせ、君はただの道具に過ぎないんだから。

「…………」

——まあいいさ。見逃《みのが》してあげよう。

——僕は今、機嫌《きげん》がいいんだ。

——自分の研究の成果が、今まさに実《み》を結ぼうとしているんだからね。

「……ありがとうございます」

——だが、君が死神に始末されては元も子もない。君を壊せる死神がいるとは思わないが、念の為《ため》だ。僕が行動を起こしたら、君は半日ほど瀞霊廷《せいれいてい》を混乱させた後、尸魂界《ソウル・ソサエティ》から離脱して、現世に身を潜《ひそ》めていろ。

——虚《ホロウ》や死神や滅却師《クインシー》が現れたら姿を隠せ。迎撃《げいげき》の必要は無い。いいね？

丁寧《ていねい》な口調でありながら、あくまでも高圧的な『耳元の声』に対し——髑髏面の女は、薄く目を閉じながら頷いた。

「かしこまりました……ザエルアポロ様」

と、瞼《まぶた》の奥に、僅《わず》かな悲しみの色をこめながら。

五章

尸魂界《ソウル・ソサエティ》　十二番隊管轄《かんかつ》　技術開発局

「リン、手前《てめえ》！　菓子コボしてねぇで、とっとと解析《かいせき》データ寄越《よこ》せ！」

「は、はいっ！」

「ったく、ボロッボロッぼろっぼろっ食い散らかしやがって……鍵盤《けんばん》の隙間《すきま》に詰《つ》まらせて、何回打ちこみミスやらかしても、ちっともコリやしねえ！」

「す、すんません！」

大鯰《おおなまず》と寺の鐘《かね》を融合《ゆうごう》させたような外観の男の怒鳴《どな》り声《ごえ》に、リンと呼ばれた青年は慌《あわ》てて入力装置に指を滑《すべ》らせる。左手には麩菓子《ふがし》を握《にぎ》りこんだままだが、彼は片手だけで器用に解析作業を続けていた。

ここは尸　魂　界《ソウル・ソサエティ》の中心部。

流魂街《ルコンがい》に囲まれ、死神達が日々の生活と職務に追われる瀞霊廷《せいれいてい》だ。

そんな瀞霊廷のとある区画にある技術開発局は、他の死神達も中々近づきたがらない場所の一つであると同時に、尸魂界《ソウル・ソサエティ》にとって屈指《くっし》の重要施設《しせつ》でもある。

中でも、この『霊波計測研究所』は現世と尸魂界《ソウル・ソサエティ》で活動する死神達にとって、なくてはならない存在と言えるだろう。

現世《げんせ》や尸魂界《ソウル・ソサエティ》に現れる虚《ホロウ》を観測しつつ、断界《だんがい》の状況を観察する。普段は壺府《つぼくら》リンを含《ふく》めた数名で行っている作業だが、今は他の研究室のスタッフも含め、総出《そうで》で空座町の霊子観測に取り組んでいる状況だった。

数刻前、空座町《からくらちょう》を中心とする限定された区域で、百箇所《かしょ》を超《こ》える黒腔《ガルガンタ》と、そこから現れる同数の破面《アランカル》が観測されたのである。

だが、緊急事態宣言が発令される直前に、破面《アランカル》達は一斉《いっせい》に現世から姿を消してしまった。

破面《アランカル》達の目的が今ひとつ解《わか》らないものの、空座町は尸魂界《ソウル・ソサエティ》にとって重要な土地の一つだ。護廷《ごてい》十三隊の死神達はいつでも出撃できる態勢を取り、技術開発局は集中的に空座町の観測を続けている。

「でも、おかしな破面《アランカル》だよねー、百体以上いるのに、霊子《れいし》の質が殆《ほとん》ど変わらないなんて。それに、大きな穴からいっぺんに出てくればいいのに、わざわざ別々の黒腔《ガルガンタ》を開けて現世に来るっていうのも、効率的じゃないし……」

眼鏡《めがね》の女性局員——ニコの言葉に、鯰顔の男——計測研究科長である鵯州《ヒヨス》が口を開いた。

「まぁ、元々最下大虚《ギリアン》なんかは似たり寄ったりの霊圧《れいあつ》になることは多いけどな。だがよぉ、破面化《アランカルか》した虚《ホロウ》がって事になると確かに珍しいな。阿近《アコン》、あんたの見解はどうよ？」

鵯州の言葉に、頭からツノのようなものを生《は》やした鋭い目の青年、阿近が答える。

「推測はいくつかできるが、確定するにゃデータが足《た》りねえな」

「だよなあ、くそ、局長が戻るまでにゃ、なんとかしときてえなあ」

「やめとけ、間に合わせで作った報告書なんざ出したら、局長にどやされるぞ」

阿近はそう言うと、研究所の奥から聞こえてくる悲鳴に耳を傾けた。


（ちくしょーっ！　放せーっ！）

（手前《てめえ》ら月一のペースで俺を実験台にしやがって！　せめて給料寄越《よこ》せコラーっ！）

（俺になんかあったらなあ、ルキア姐《ねえ》さんが黙っちゃいねえぞーっ！）

（だが俺も鬼じゃねえ……ネム姐さんをはじめとする女性局員が俺を弄《いじ》るってんなら、見《み》逃《のが》してやってもいい……あっ、こらっ、なんだその全自動ボタンって！　俺は美女の手洗いオンリーなんだぞバカ野郎！　えっあれ、なん……ですか……このでっかいミシン針）

（おぎゃーっ！）

定期的に実験体となる事で、なんとか廃棄《はいき》処分を免《まぬが》れている改造魂魄《モッド・ソウル》の声だ。

その叫びを聞きながら溜息《ためいき》を吐《つ》き、阿近は淡々《たんたん》と彼なりの推測を述《の》べる。

「下手《へた》すりゃ、お前の魂魄《こんぱく》とあのヌイグルミの中身が入れ替えられるぜ」

「おお、怖《こえ》ぇけど、ぬいぐるみ視点ってのぁちょっと興味あんなぁ……」

日常会話をこなしつつも、彼らの手と目は霊子解析機から離れない。すると、猿楽面《さるがくめん》のような笑顔を貼《は》りつけた局員が、やはり作業の手を休めぬまま口を開いた。

「おうおう、そういや今日、局長はどこに行ってんだ?」

個別予定表も見ずに観測作業を続けていた局員の問いかけに、阿近はあっさりと答える。

「裁判だよ。四十六室《しじゅうろくしつ》のな」

口調とは正反対の重い内容。

霊王府《れいおうふ》に次《つ》ぐ権力を持ち、尸魂界《ソウル・ソサエティ》最高の司法機関である四十六室の『裁判』。

局長は現在、とある案件の被告人《ひこくにん》として呼び出されているのだが――

開発メンバーは皆『ああ』という顔で頷《うなず》き、局長の事を心配する者は殆どいなかった。

局長の人望がないというわけではない。

外部からはすこぶる評判が悪いのだが――少なくとも技術開発局に身を置く者達にとって、局長は尊敬に値する人物だ。

ただ、彼らは理解しているだけだ。

現在の四十六室に、自分達の長《おさ》である男を裁《さば》く事などできはしないのだという事を。

≑

中央四十六室《ちゅうおうしじゅうろくしつ》

「聞いておるのか、涅《くろつち》マユリ！」

裁判官の叫びを皮切りに、四十六室の賢者《けんじゃ》達の怒号《どごう》が響《ひび》き渡《わた》る。

「ええい、先刻《さつき》からよそ見ばかりしおって！」

「一体何を考えている！」「寝ておるのではないか⁉」「舐《な》めおって！」

高圧的な糾弾《きゅうだん》に囲《かこ》まれつつも、その部屋の中心にいる男は、欠片《かけら》も気にした様子はない。

寧《むし》ろ、そんな高圧的な者達を哀《あわ》れむような視線を向け、淡々《たんたん》と呟《つぶや》いた。

「五月蠅《うるさ》いネ。私は不器用な君達とは違って、たとえ居眠りしながらでも周囲の情報を脳《のう》髄《ずい》に刻《きざ》みこめるんだヨ」

「なっ……」

「もっとも、君らの言葉に、その価値があればの話だがネ。仮にも四十六室を預かる賢者と名乗るなら、自分の物差しだけで私を測るなどという愚行《ぐこう》は控えて頂きたいネ」

技術開発局長にして、十二番隊の隊長を兼任する男——涅マユリ。

裁判の最中であるというにもかかわらず、顔面の不気味な装飾はそのままで、瀞霊廷《せいれいてい》内の賢者と裁判官を集めた最高司法機関である『四十六室』の面々を前にしても、欠片も自分のスタイルを崩《くず》す事はない。

「ふ、不敬な！」

「自分の立場が解《わか》っておるのか！」

「私の立場？　それはもちろん理解しているヨ。こんな所で下らない裁判に付き合っているせいで、一刻一秒ごとに尸魂界《ソウル・ソサエティ》全体の科学発展が遅くなると思うと胸が痛むネ」

全《まった》く胸が痛んだ様子も見せずにケロリと言《い》い放《はな》つマユリに、四十六室の怒《いか》りはいよいよ頂点に達しようとしていた。

自分の運命を決める裁判官達の心証を最悪のものとしながらも——

それでも、涅マユリは欠片も動じず——淡々と、四十六室の怒号に含まれる感情や知性の個体差を分析し続けた。

この四十六人の賢者達の中で、今後のマユリ自身にとって、誰が有用で誰が無用なのかを見極《みきわ》める為《ため》に。

二

技術開発局

「で、今日は何の裁判だっけか？　中央演算室にハッキング《潜りこんだ》した件か？」

鵯州《ヒヨス》の言葉に、作業を続けながら阿近《アコン》が答える。

「いや、黒崎一護《くろさきいちご》達が最初にここに来た時、十二番隊の隊士を何人か自爆させたろ？」

十二番隊には、技術開発局員の他にも、通常任務にあたる隊士が少なからず存在する。

初めて尸魂界《ソウル・ソサエティ》に黒崎一護達が訪れた際、旅禍《敵》である彼らを排除する為《ため》、涅《くろつち》マユリは隊士達に爆弾を仕込み、旅禍《りょか》に接近させた所で自爆させるという凶行《きょうこう》に出た。もっとも、彼自身にとっては凶行でもなんでもなく、旅禍に勝てないと解《わか》り切《き》っていた隊士達を有効活用しようとした結果に過ぎないのだが。

「ああ、あの件な。つーか、今さらかよ？」

「前の四十六室《しじゅうろくしつ》は全員藍染《あいぜん》に殺されてるし、その後も破面《アランカル》とのやりあいだのでゴタゴタしてたせいだろ。藍染が【無間《むけん》】に投獄《とうごく》された後も、平子《ひらこ》さん達の処遇《しょぐう》をどうするかで一年以上揉《も》めてたしな。中央四十六室の連中」

「んで、それが落ち着いたから、ようやく過去のいろんなもんが問題になってきたってわけか。ウヤムヤになったとばかり思ってたけどな」

隊員の体内に霊子《れいし》爆薬を仕込んで自爆させたなど、他の隊では考えられぬ凶行であり、四十六室以前に、総隊長からの処罰は免《まぬが》れないだろうと思われた。だが、古くからの考えの中に『尸魂界《ソウル・ソサエティ》の正義を成《な》す為には、己《おのれ》の命を賭《と》すもまた死神の心得』というものがあり、また、藍染によって旅禍が危険極《きわ》まりない存在と思いこまされていたという一面もある為、自爆攻撃そのものについては、(比率に大差はあれど) 賛否両論となった。

四番隊や十三番隊の死神達は『言語道断《ごんごどうだん》』という者が多かったが、二番隊の刑軍《けいぐん》などには『自分の命で旅禍を止められるならば、喜んで捧《ささ》げよう』と考える者も多く——結局のところ、論点は『死んだ隊士達にその意志があったかどうか』という部分に集約された。

だが、今となってはそれを確かめる術《すべ》もなく、涅マユリの処分については完全に四十六室の手に委《ゆだ》ねられた形となる。

「滅却師《クインシー》への人体実験に関しちゃ、前の四十六室のお墨付《すみつ》きって事もあったからな。現世への増援を遅らせた件も内々で話がついてたらしい。で、そっちがつつけねえから、自爆措置《そち》の件で局長を叩《たた》こうってのが、新しい四十六室の腹だろ」

阿近の言葉に、局員達が頷《うなず》く。

彼らの殆《ほとん》どは、隊士達は何も知らずに自爆させられたのだろうと確信していた。その上で、あえて涅マユリの下で働き続ける彼らは、多かれ少なかれ技術開発という名の『道』に己の魂《たましい》を捧げているのかもしれない。もっとも、彼らの殆どが『蛆虫《うじむし》の巣《す》』出身だという事を考えれば、それはある意味自然な状態と言えるのだろう。

「研究員としての価値が爆弾より下だって思われたら、局長は私達をあっさりと使い捨てちゃうよね、やっぱり」

ニコの言葉に、リンが菓子を頬張《ほおば》りながら応《こた》える。

「で、でも、やっぱそれって、普通の隊士から見たらありえないっすよね？　それ考えたら、局長、地下監獄《かんごく》行きになっちゃうんじゃ……」

様々な感情を交《まじ》えて呟《つぶや》くリンの言葉に、阿近はあっさりと首を振った。

「四十六室の連中も、本気で『倫理《りんり》的に許せない』なんて考えちゃいないさ。改造魂魄《モッド・ソウル》の尖兵《スピアヘッド》計画を潰《つぶ》した時と同じで、自分達の敵に回ったら恐そうなもんを規制しようってだけだ。本当にお優しい連中なら、斬魄刀《ざんぱくとう》の持ち主を選ぶ為に親友同士で殺し合えだの、事情もろくに調べずに仮面《虚》化した隊長達を処刑しろなんて命令出したりゃしねえよ」

「だけど、ほら、それは前の四十六室の人達で、今、新しい人達じゃないですか」

麩菓子《ふがし》をバリボリとかじりながら、器用に声を出すリン。

一方の阿近は、仏頂面《ぶっちょうづら》のまま演算器の鍵盤《けんばん》を叩《たた》きつつ、答える。

「今も昔も変わらねえよ。その証拠《しょうこ》に、連中、浦原《うらはら》さんを正式に呼び戻そうとすらしてないだろ。四十六室に冤罪《えんざい》を着せられた浦原さんが、尸魂界《ソウル・ソサエティ》の事を恨《うら》んでるかもしれないって考えてんのが見え見えだぜ」

鵯州がグフリと笑いながら、阿近の言葉を引《ひ》き継《つ》ぐ。

「つまり、四十六室の連中にとって今の裁判は、局長に減刑をちらつかせて自分達の手駒《てごま》にしようって目的があるわけだ。憲政屋《けんせいや》どもの考えそうなこったなぁ、おい」

「局長が実刑なんぞにビビるわきゃないんだがな」

四十六室も、普段の生活の中で技術開発局の恩恵を多大に受けている。そんな中、簡単にその中核である涅マユリを投獄する可能性は薄いだろう。そう判断した上で、阿近は、彼にしては珍しく冗談を口にする。

「まあ、局長なら、【無間】行きだっつわれても、『同じ牢獄《ろうごく》の罪人《ざいにん》を解析《かいせき》できる』っつって喜ぶだろうよ」

その言葉に、「まったくだ」と言って笑いながら作業を続ける局員達。

ただ、リンだけが白玉団子《しらたまだんご》をぱくつきながら更《さら》に阿近に問いかけた。

「無間って、地下監獄の最下層ですよね？　藍染さんの他に誰か入ってるんですか？」

「あん？　ああ、確か藍染の他にも何人か入ってる筈《はず》だぜ。そんなに数はいねえけどな」

地下監獄最下層、第八監獄【無間】。

尸魂界《ソウル・ソサエティ》内でも最悪と呼ばれるレベルの罪人でありながら、様々な事情から、双殛《そうきょく》による死罪を免れた者達の行き着く場所。

囚人によっては縛道《ばくどう》によって身動きと視界を奪《うば》われた状態で監禁され、投獄というよりも封印という言葉が正しいと言われている程《ほど》の牢獄である。

藍染以外にそんな場所に入っている者がいるのかと、若い局員達は興味深げに阿近の言葉に耳を傾けた。

「刑期一万年超《ご》えのが何人か……ああ、お前らも知ってそうなのは、痣城《あざしろ》……」

阿近がある者の名前を言いかけた所で――何かを噛《か》み砕《くだ》く音がバリボリバリボリと響《ひび》き渡《わた》り、彼の言葉を覆《おお》い隠《かく》す。

「おいおい、リンよお、人にものを尋《たず》ねといて、そりゃねえだろ」

「え？　俺じゃないですよ⁉」

「あん？」

否定の言葉を受け、阿近達が振り返ると——確かに、音の主《ぬし》はリンではなかった。

口の中一杯に持参の金平糖《こんぺいとう》を頬張っていたのは、現在の観測室内で誰よりも小さく、誰よりも官位が上の死神だった。

「草鹿《くさじし》副隊長……、どっから湧《わ》いたんすか。……で、何の用です？」

またか、という空気を含《ふく》めた阿近の言葉に、十一番隊副隊長、草鹿やちるは無邪気《むじゃき》な笑《え》みを浮かべてハッキリと言《い》い放《はな》つ。

「あのね、あのね、くらりんが忙しいって聞いたから、おかしを食べるのを手伝いに来てあげたの！」

口の周《まわ》りに砂糖カスを付けながら、満面の笑みを浮かべる少女。くらりんというのは恐らく、壺府《つぼくら》リンに対して彼女が勝手につけた渾名《あだな》だろう。

やちるの言葉に、リンは鍵盤から両手を放し、机の上の菓子を抱《かか》えこみながら首を振る。

「あ、あげませんよ⁉」

「えー」

指をくわえながら物欲しげに唸《うな》る別番隊の副隊長に、リンは幼子《おさなご》を守る母親のような目をして言い放つ。

「あ　げ　ま　せ　ん　！」

「ええー」

山ほど金平糖を頬張った直後にもかかわらず、彼女の腹からグウ、と空腹音が鳴り響く。

阿近は『いつも通り、リンを押さえつけた後、適当に菓子を渡して退出願おう』と考えつつ、大きな溜息《ためいき》を吐《は》き出《だ》した。

その溜息と、やちるの腹の虫が重奏を生み出した瞬間――

もう一つの音が、研究室内に鳴り響いた。

リンの計測器から鳴り響く、旅禍が襲来《しゅうらい》した事を知らせる警報音だ。

「なんだ!?　虚《ホロウ》か!?」

鵯州達は慌《あわ》てて計測器に目を向け――一瞬、観測システムが故障したのかと錯覚《さっかく》した。

錯覚の理由は、故障であってほしいという願望によるものかもしれない。

「これ……さっき、現世にいた……」

眼鏡《めがね》をかけ直しながら呟くニコの言葉に、やちるを除《のぞ》いた全員が息を呑《の》む。

観測結果を示す演算器の画面上に映《うつ》し出《だ》された数値は――尸魂界《ソウル・ソサエティ》に破面《アランカル》が出現した事を示していた。

その数は未曾有《みぞう》の規模であり、まるで低級虚《ホロウ》の群《むれ》のような勢いで、数十から百を超《こ》そうかという数の『破面《アランカル》』が尸魂界《ソウル・ソサエティ》に現れたのである。

殺気石《せっきせき》の外周によって守られた瀞霊廷《せいれいてい》を取《と》り囲《かこ》むように、流魂街《ルコンがい》全土に散在する形で現れた破面《アランカル》達。

局員達が息を呑みながら全域に警報を出そうとする中――草鹿やちるは、警報音や画面の数値ではなく、彼らの顔色だけを見て『緊急事態』と理解する。

すると、彼女は入室時と同じように、天井近くの窓の枠《わく》に一足でヒョイと飛び乗った。

緊迫《きんぱく》した局員達の方に向き直り、少女は窓枠の上で嬉しそうに微笑みながら言い放つ。

「剣ちゃん、起こしてくるね！」

≒

流魂街《ルコンがい》西地区　白道門《はくとうもん》

「大きいおじさん。大きいおじさん」

流魂街と瀞霊廷《せいれいてい》を隔《へだ》てる四大瀞霊門の一つである白道門。

その門番を務《つと》める尸魂界屈指《ソウル・ソサエティくつし》の巨漢――兕丹坊《じだんぼう》は、足下《あしもと》からの声に視線を落とした。

「ん？　なんだべ、お前《め》ぇ」

瀞霊廷内から響《ひび》き渡《わた》る警報を聞き、気合いを入れて斧《おの》を構《かま》えていた兕丹坊は、足下に座る小さな少女に気づき、言った。

「見だごどさねぇ童《わらす》だども、けっだだますさ鐘《かね》の音が聞こえんべ？　旅禍《りょか》が来だってぇ大騒ぎになっどるだで、家さ籠《こ》もって隠れんぼさぁすでれ、な？」

鬼のような外見とは裏腹に、訛《なま》りの強い言葉で優しく言う兕丹坊。

すると少女は、ニッコリ笑って答えた。

「かくれんぼなら、もうしてるよ、大きいおじさん」

彼女は瀞霊廷を囲《かこ》む巨大な壁を指さし、無邪気《むじゃき》に笑う。

「だからね、その門の向こうも捜《さが》したいの！」

その言葉を聞いて、兕丹坊は一瞬警戒を忘れて笑う。

「ぐははははは！　この門の奥に隠れられるわげねぇだ！　この門を通れんのは通廷証さ持っどる者《もん》だけだで！」

だが、言ってから、ふと考える。

――あんれ、でも、一緒に遊んどる子が死神《すにがみ》や貴族様の子だったらどうなるだか？

瀞霊廷の中にも子供はたくさんいるが、流魂街の子供と瀞霊廷内の子供が一緒に遊ぶなどという話はあまり聞かない。しかし、数年前に黒崎一護《くろさきいちご》がやって来た後は、そうした空気がやや緩《ゆる》くなっており、二番隊の副隊長が流魂街の子供達を引き連れて自慢話をしている姿などが時折《ときおり》見受けられるようになっていた。

兕丹坊は、破面《アランカル》が人間や死神の姿に近いという事を知らず、グランドフィッシャーのように子供に化ける虚《ホロウ》とも出会った事がない。よって彼は、敵意すらない幼い少女が警報の元である旅禍だとは気づかず、周囲を警戒したままヌムと唸《うな》り声《ごえ》をあげた。

「困っだだな、一緒に捜すでやりでぇだども、警報さ鳴っどる間は、オラもこの門の前から動げなんだ」

「おじさん、門番さんなの？」

少女の無垢《むく》な問いかけに、兕丹坊は胸をドンと叩《たた》いて誇《ほこ》らしげに言う。

「んだ！　この門さ悪《わり》ぃ虚《ホロウ》どもから命がけで守るのがオラの使命《すめい》だ！」

すると少女は、顔に浮かべた無垢な笑顔はそのままに、毛色の違う問いかけをした。

「そうなんだ！　じゃあ、おじさんが死んだら、この門を通れるようになるの？」

だが、兕丹坊は少女の問いかけの裏にある意味に気づかず、笑いながら答えを返す。

「ぐははは！　そりゃ勿論《もちろん》そうなるだども、オラはあと二千年は長生きするつもりだで、まだえれぇ気の長《なげ》ぇ話さなるだ！」

「へえ……。ねえねえ、じゃあ、大きいおじさんが一緒に遊んでくれる？」

「だから、あとでならお前《め》らと遊んでもええだが、今は……」

そこまで言った時、兕丹坊は気がついた。

少女の腰に、オモチャとは思えぬこしらえの刀が下げられていた事に。

そして、彼女の服が、流魂街に住む子供達と比《くら》べて明らかに異質であるという事にも。

数年前に来た旅禍が、敵意が薄い上に丸腰の井上織姫《いのうえおりひめ》一人だったならば、兕丹坊はやはり彼女が旅禍だと気づくのに時間が掛かったかもしれない。だが、最終的には門を通られる前に気づいた事だろう。

今回もまた、三百年間にわたって門を護《まも》り、並の死神より長く虚《ホロウ》と闘《たたか》い続けていたという経験が、敵意の感じられない子供に対する明確な『違和感』を浮かび上がらせた。

「……遊ぶってでなぁ、何をすでだ？」

声と表情に僅《わず》かな厳《きび》しさを浮かべながら、兕丹坊は改めて少女に問いかける。

すると少女は、やはり無邪気な笑顔を浮かべたまま、ある言葉を吐《は》き出《だ》そうとした。

「もちろん、おじさんと、殺《ころ》……」

刹那《せつな》、少女の動きが止まる。

急に背後を振り返り、遠くを見つめながら小さく呟《つぶや》いた。

「え、うそ」

「?」

驚いたような目をした少女に、兜丹坊は首を傾《かし》げる。

周囲には他に誰もいないのだが、彼女はまるで、誰かと話しているように声をあげた。

「シバタくんって、あのシバタくん? 本当に?」

そして、彼女は再び兜丹坊に向き直り、

「ごめんなさいおじさん、遊んでるヒマ、なくなっちゃった!」

残念そうに頭を下げ、そのまま尋常《じんじょう》ならざる脚力で門の前から走り去ってしまった。

その背を見ながら、やはりただの子供ではなかったと確信しつつも、兜丹坊はホッと胸を撫《な》でおろす。門に全《まった》く固執《こしつ》していなかった所を見ると、やはり、あの少女は旅禍ではなかったのかもしれない。

兜丹坊は、修復したばかりの斧を幼い少女に対して振るわずに済《す》んで良かったと運命に感謝しつつ、改めて周囲の警戒にあたる事にした。

威圧《いあつ》的な姿で門番を続ける彼の下《もと》に、裏挺《りてい》隊の伝令部から『他の三門の守護者達が旅禍に倒され、現在は席官クラスの死神達が門の防衛にあたっている』という知らせが届いたのは、少女と別れてから僅《わず》か数分後の事だった。

そして、伝令と同時に――彼は、瀞霊廷周辺の空気を震《ふる》わせる轟音《ごうおん》を耳にする事となる。

≒

流魂街《ルコンがい》　西地区某所《ぼうしょ》

旅禍《りょか》の一人である少女が兕丹坊《じだんぼう》と話し始めたのとほぼ同じ頃、『ピカロ』の子供達は、それぞれ全《まった》く別の行動をとっていた。


「ねえねえ、君、もしかしてシバタくんじゃない？」

江戸《えど》時代を思わせる、木造の長屋などが並ぶ街並《まちな》みの中――かすりの着物を纏《まと》った少年の耳に、そんな声が飛びこんできた。

突然自分の名前を呼ばれたので、流魂街での知り合いだろうかと振り返った少年――シバタユウイチは、そこにいた存在に身を強《こわ》ばらせる結果となった。

年頃は、自分と同じぐらいだろうか。

しかし、流魂街の住人は疎《おろ》か、死神や貴族といった感じでもなく——敢《あ》えてたとえるならば、死神達が戦う『虚《ホロウ》』に近い空気を纏った少年が、こちらに向けて無邪気《むじゃき》な笑顔を浮かべているではないか。

「え？　あ、あの……そうだけど」

頷《うなず》くと、白装束《しろしょうぞく》の少年は一際嬉《ひときわうれ》しそうに笑い、虚空《こくう》を仰《あお》いで叫ぶ。

「ねえ、近くにいるみんな、来なよ！　シバタくんがいたよ！　インコになってたシバタくん！」

すると——少しの間《ま》を置いて、少年と同じような雰囲気の少年少女が数人と、白い仮面をつけた小動物や訳《わけ》の解《わか》らない生き物が数体、ユウイチを取《と》り囲《かこ》むように現れた。

「……ッ！」

ユウイチは、小動物が被《かぶ》っている白い髑髏《どくろ》を見て全身を強ばらせる。その仮面が、かつて自分の母親を殺した男が変じた虚《ホロウ》を連想させたからだ。

しかし、目の前の少年達は、自分を追い回した虚《シユリーカー》のように巨大な化け物ではない。『破面《アランカル》』という存在を知らないユウイチは、目の前の少年達の正体が解らず、強い困惑《こんわく》と不安に囚《とら》われていく。

だが、そんな彼の不安などお構《かま》いなしで、集まった白装束の子供達は勝手にはしゃぎ始めていた。

「シバタくんって、現世に抜け出してた子が見つけたっていうアレ？」

「そうそう」「あッ、すげー！　ほんとにシバタくんと同じ気配だ！」

「本当にシバタくんなの!?」「偶然！」「うれしいな」

「シバタ君がいつか虚《ホロウ》になったら、シュリーカーの奴《やつ》を殺して助けてあげようって、いっつも話してたんだよねー」

「でも、死神さんが先に助けちゃったんだよね」

「だからシバタくん虚《ホロウ》になれなかった」

「せっかく新しい友達が出来ると思ったのにねー」

「ずーっと狙《ねら》ってたのにねー」

子供達の会話の内容に、ユウイチはますます混乱する。

『助ける』や『友達』という単語と、『虚《ホロウ》になったら』という言葉に繋《つな》がりを見いだす事ができなかったのだ。

「あ、あの……」

どうしてよいのか解らず、せめて名前を問いかけようとしたユウイチだが——その言葉を遮《さえぎ》る形で、白ずくめの子供達が一斉《いっせい》にグルリと振り向き、無邪気な笑《え》みで言葉を紡《つむ》ぐ。

「君、結構有名だったのよ？　シュリーカーと追いかけっこしてる子供がいるって」

「ねえねえ、今からでも遅くないよ。いいいいいいいいいい今から君も虚になって、僕達と友達になろうよ」

「一緒に遊ぼう？」「遊びましょう！」「あそ　ぼ　う」

ユウイチの背筋《せすじ》に、改めて寒気《さむけ》が走る。『虚《ホロウ》になれ』という言葉も不気味だったが、自分にとって恐怖と孤独の象徴《しょうちょう》である過去を無邪気に笑いながら語る少年達との間に、絶対に相容《あいい》れないという深い溝《みぞ》を感じ取ったのである。

彼の心に、インコとして追われ続けた日々の記憶が蘇《よみがえ》りかけ、心中で一人の名を呟《つぶや》いた。

──チャドのおじちゃん……！

不安を掻《か》き消《け》す為《ため》に、少年にとって最も頼りになる男の名を思い浮かべたのだが──

その心の声に応《こた》えるように現れたのは、彼の思い浮かべる大柄《おおがら》な男ではなかった。

風のように現れた黒い影は、ユウイチの襟首《えりくび》を無造作《むぞうさ》に掴《つか》み上《あ》げ、砲弾の如《ごと》き勢いでその場から離脱する。

「わっ⁉」

悲鳴をあげた時には、既《すで》にユウイチは近場にあった家の屋根の上に運ばれていた。

ヒョイと茅葺《かやぶ》き屋根の上に降ろされた後、横を見上げるユウイチ。

そこに立っていたのは、頭をツルリと剃《そ》り上《あ》げた、厳《いか》めしい顔の死神だった。

「一番槍《いちばんやり》になれて、今日もツイてると思ったんだがな」

尸魂界《ソウル・ソサエティ》の中でも一際《ひときわ》好戦的として知られる死神――十一番隊第三席、斑目一角《まだらめいっかく》。

丁度《ちょうど》この西流魂街を巡回していた時に警報が鳴り、『席官クラスの死神には旅禍の撃退、もしくは目的・勢力等の調査を命じる』との通達が伝令神機《でんれいしんき》に回ってきたのだ。

「破面《アランカル》らしいっつーんで来てみりゃ、ガキしかいねえじゃねえか。どうやら今日は厄日《やくび》だったらしい」

始解《しかい》前の斬魄刀《ざんぱくとう》の峰《みね》を肩に置きつつ、つまらなそうに眼下の子供達を眺《なが》める一角。

彼は戦士としての矜持《きょうじ》を独自に持っており、相手が『敵』でさえあれば、女子供の姿をしていようが相手を軽《かろ》んじる事はない。ただし――逆を言えば、相手に敵意も殺気もなければ、彼の中から戦う理由が大幅に消え去る事となる。

それでも、目の前の子供達が『破面《アランカル》』である以上、『死神』としては戦う理由があった。

しかし、ここまで妙な破面《アランカル》を見るのは初めてであり、眉間《みけん》に皺《しわ》を寄せながら問いかける。

「……別に、流魂街を襲《おそ》ってるわけでもねえし、何しに来たんだ手前《てめえ》ら?」

死神である自分を前にしても、襲いかかる様子のない子供姿の破面《アランカル》達に、一角は舌打ちをする。

「俺が優しい男で良かったな。殺さなくても追い返しゃ手柄《てがら》になりそうだからよ、物見遊山《ものみゆさん》で来たんならとっとと虚圏《ウエコムンド》に帰れ、ガキ共」

「いやいや、流石《さすが》にそういう帰し方は駄目《だめ》なんじゃない？　撃退の他に、相手の目的を探《さぐ》るってのも任務に含《ふく》まれてるんだからさ」

一角の言葉に答えたのは、彼の後ろに現れた別の死神――十一番隊第五席、綾瀬川弓親《あやせがわゆみちか》。

「つってもよ……闘《や》り合《あ》うにしろなんにしろ、こんな連中しかいねえんじゃ、隊長もガッカリを通り越して怒るぞ多分」

「子供の姿だからって弱いとは限らないだろ？　うちの副隊長や日番谷《ひつがや》隊長の例もあるしね。そもそも、破面《アランカル》が子供の姿をしてるって時点で異常だろ？」

破面化《アランカルか》した際に人型《ひとがた》になるのは、多くは最上大虚《ヴァストローデ》級だと言われている。だが、最下大虚《ギリアン》となった時点で『数万体の虚《ホロウ》の集合体』である上に、そもそも子供の霊が虚化《ホロウか》したからといって子供型の虚《ホロウ》になるというわけでもない。力を奪《うば》われて子供の姿になったネルという存在もいるが、一角達は彼女の存在すら知らない身の上だ。

つまり、目の前にいる破面《アランカル》達は、『子供の姿をしている』という時点で十分に奇妙な存在と言えるのだ。

そんな懸念《けねん》を抱《いだ》く弓親に、一角が肩を竦《すく》めて答える。

「まあな。ガキだからっていちいち油断するつもりもねえけどよ」

「ただ、こうやって僕達がダラダラ話してても襲ってこないところを見ると、本当に何しに来たのか解らないいけどね」

弓親もそう言って肩を竦め、改めて眼下の子供達を観察した。

子供の姿をした虚《ホロウ》達は、『死神だ』『死神さんだ』『すげー』などと呟きながら、無邪気に瞳《ひとみ》を輝かせて屋根の上を見上げている。

この場には七体しか見あたらないが、観測所からの連絡によると、百体前後の破面《アランカル》が瀞霊廷《れいてい》を取り囲む形で散らばっているそうだ。

散らばっているとはいえ、彼らは破面《アランカル》だ。子供の姿をしていても、それぞれの個体が最下大虚《ギリアン》の実力を軽く超《こ》え、一般隊士では恐らく相手にならないと見ていいだろう。

ユウイチの事を知らない彼らからすれば、『何故《なぜ》こんな場所に七体も密集しているのか』という疑問は残るが、その疑問を抜きにしても、目的すら解らない破面《アランカル》の群《むれ》は実に不気味な存在だと言える。

もっとも、その程度の不気味さで怖《おそ》れをなす死神など、十一番隊には存在しないのだが。

一方、破面《アランカル》の子供達も、十一番隊指折りの実力者達の霊圧《れいあつ》を前にしても全く恐れる事なく、空気を読まずに問いかけた。

「ねえねえ、お兄ちゃん達、死神さんだよね」

「おう、だったらどうした」

一角の答えを聞き、破面《アランカル》の一人が殺気石《せっきせき》で造《つく》られた瀞霊廷の塀《へい》を指さし、笑う。

「あの塀の中に入りたいんだけど、案内してくれる？」

「するわきゃねえだろ！　なめてんのか手前《てめえ》ら⁉」

あまりにもストレートな要求に、思わず怒鳴《どな》りつける一角。

弓親の背後にいたユウイチまでビクリと震える怒鳴り声に対し、子供姿の破面《アランカル》達は、無反応の獣《けもの》型から、『しかられちゃった』とケラケラ笑う少年、『なんにもしてないのに怒ったー』と怯《おび》えて泣きだす少女、『ハゲ魔人だー！』と言って猛スピードで逃げる者というように、個体によって様々な反応を示していた。

「おい……今、ハゲっつったガキがいなかったか……？」

顔面に血管を浮かせながら怒気《どき》を高めていく一角を余所《よそ》に、弓親が笑っている少年破面《アランカル》に対して冷静に答える。

「悪いね。あの塀の中は虚《ホロウ》や破面《アランカル》の子は立ち入り禁止なんだ。無理矢理入るって言うなら、僕らも君達に、少しばかりキツいお仕置きをしなくちゃいけなくなるね」

眼を細めつつ、冷たくも熱のある霊圧を放《はな》つ弓親。

そんな彼に、それまでケラケラ笑っていた破面《アランカル》の少年がピタリと笑みを消し、口を尖《とが》らせながら訴えた。

「えー、そんなのズルいぃ」

「ズルい？　何の事だい？」

「だって、あのお姉ちゃんはぁぁぁ、破面なのにぃぃぃぃ中にぃぃ入ってぇぇるじゃぁぁん！」

「……あぁ？」「お姉ちゃん？」

一角と弓親は、少年達の動きを警戒したまま、互いに顔を見合わせた。

霊子《れいし》の類《たぐい》を一切《いっさい》通さぬ殺気石に周囲を囲まれ、石の切断面から放たれる特殊な波動は、瀞霊廷の上空をドーム状に覆《おお》い尽《つ》くしている。『遮魂膜《しゃこんまく》』と呼ばれるその結界《けっかい》面の中に旅禍が秘かに入りこむなど、普通では考えられない。瀞霊廷四方の門以外から侵入するには、よほどの衝撃《しょうげき》で空の結界を打ち破るか、あるいは大虚《メノス》以上の虚《ホロウ》が反膜《ネガシオン》を無理矢理結界内にねじこむしかなかった。

どちらのケースにしても、観測所が見逃《みのが》すとは到底思えない。それを知っているからこそ、一角達は少年達の言葉を戯《ざ》れ言《ごと》だと思いかけたのだが――

「だって、『糸』がさ、あの塀の中に続いてるんだもん」

「……糸だぁ？」

冷静さを取り戻した一角が、眉《まゆ》を顰《ひそ》めたその刹那《せつな》──

彼の背から、空気全体を鈍《にぶ》く震《ふる》わせる、重々しい轟音《ごうおん》が響《ひび》き渡《わた》る。


「⁉」

慌《あわ》てて振り返ると、現在の位置から遥《はる》か遠く、瀞霊廷の中央付近から黒煙が上がっているのが見えた。

音が届くまで大分時間がかかる距離だったらしく、既に爆発の光などは残っておらず、ただ、黒煙だけが濛々《もうもう》と立《た》ち昇《のぼ》っているのが確認できる。

「おいおい、ありゃ……どの辺だ？」

爆発と破面《アランカル》達に交互に視線を送りつつ、弓親に問いかける一角。

弓親は、破面《アランカル》の子供達の言葉が裏づけられたと確信しつつ、答えた。

「……多分、技術開発局のあたりかな」

そして、二人の死神の中に、一つの疑念が浮かび上がる。

破面《アランカル》達の言うように――既に、何者かが瀞霊廷内に侵入しているのではないかと。

「おいガキ共、てめーらの言う『お姉ちゃん』ってのはどこのどいつ……」

一角が振り返りながら問いかけるが――

そこには既に破面《アランカル》達の姿は無く、側《そば》に立っているユウイチが困った顔でこちらを見つめているだけだった。

「……」

「逃げられたね」

淡々《たんたん》と事実を告げ《つ》げる弓親に、一角は頬《ほお》を引きつらせながら舌打ちをする。

「……やっぱ、今日はツイてねえ」

≑

3分前　技術開発局

局員達の中で、『それ』を事前に観測できた者はいなかった。

あるいは局長である涅《くろつち》マユリが精査したならば、観測は可能だったかもしれない。

しかし、マユリは現在裁判のため不在であり、そもそも『それ』が何かを知らない者達にとっては、空間の霊圧《れいあつ》変化を精査する理由そのものが存在しなかったのである。

尸魂界《ソウル・ソサエティ》の空気中を漂う『それ』――蚕の吐き出す絹糸よりも遥かに細い、細い、細い、細い、細い、細い、眼に見えぬ『反膜』の糸は、開発局の誰にも存在を知られる事なく、その施設《しせつ》内を蠢《うごめ》き、延び進む。

朝顔の蔓《つる》が伸びる様子を高速で見るように、壁に貼《は》りつきながら確実に先へ先へと延びる反膜《ネガシオン》の糸。

しかし、無数の演算器が並び、研究員達が慌《あわ》ただしく作業を行っている部屋に侵入した所で、糸は一度動きを止めた。

そして――


「ったく、なんなんだ、この破面《アランカル》共はよぉ！　ザコの虚《ホロウ》を引き連れてるふうでもねえし、一匹一匹の動きも全然統制がとれてねえじゃねえか！」

苛立《いらだ》たしげに叫ぶ鵯州《ヒヨス》とは対照的に、阿近《アコン》は送られてきた画像を見ながら冷静に呟《つぶや》く。

「外見通り、本当にガキの集まりって感じだな」

「わー、可愛《かわい》い女の子も混じってる！　何体か生け捕《いど》りにできないかな……」

ニコが眼鏡《めがね》の奥の瞳《ひとみ》を輝かせて場違いな言葉を呟くが、その手は高速で鍵盤《けんばん》を滑《すべ》り、送られてくるデータを次々と処理している。

他の職員達も、手と眼でデータを解析《かいせき》しながら、口だけを流暢《りゅうちょう》に動かしていた。

「女の破面《アランカル》といえば、空座町《からくらちょう》の妙な虚《ホロウ》はどうなったんでしたっけ？　この破面《アランカル》の群《むれ》も一回空座町を経由して来たわけだし、何か関係があるのでは？」

「車谷《くるまだに》がしつこく報告してくる奴《やつ》だろ？　あれもまだ解決してねえよ。興味持った局長がネムさんを調査に向かわせようとしてた所で裁判の出頭命令が来たからな」

そんな会話を紡《つむ》ぐ局員達を阿近が窘《たしな》める。

「雑談はそこまでにしとけ。この状況じゃ裁判も中止だろうから、局長が帰ってくる前に死ぬ気でデータを集め……――っ!?」

刹那《せつな》、阿近の背筋《せすじ》に寒気《さむけ》が走り、強制的に言葉を中断させられる結果となった。

寒気を感じたのは、阿近だけではない。

感知能力の高い者から順に、ほんの数秒の間に次々と身を強《こわ》ばらせていく局員達。

彼らは、気づいたのだ。

自分達のいる観測室の一部から、禍々しい霊圧が湧き上がっているという事に。

そして、一番霊圧察知能力の低い局員が、画面を見ながら叫び声をあげた。

「⁉ そんな馬鹿な……！　瀞霊廷《せいれいてい》内に、強大な虚《ホロウ》の反応が！　あ……破面《アランカル》です！　場所……は……」

叫びながら、その局員も全身を凍《こお》らせる。彼が画面の情報を確認したのと、周囲に満ちる気配に気づいたのは、ほぼ同時の事だった。

「ばっ……場所は……こ、この観測室内……です」

局員達全員が冷や汗を滲《にじ》ませ、動きを止める観測所内。

しかし、カタカタと流暢に鍵盤を打つ音が、部屋の奥にある机の方から響《ひび》いてくる。

鍵盤を叩《たた》いている局員はいない。そもそも、あの机は局長の机だ。局長の演算器で勝手に作業をする命知らずなど、開発局員の中には存在しないし、当然ながら、そこから溢《あふ》れる霊圧は局長本人とは全《まった》く異《こと》なるものだった。

阿近をはじめとする局員達が、ゆっくりとそちらに眼を向けると——

タン、と鍵盤を叩き終える音が響いた直後、その机にいつの間にか座っていた男が、薄ら笑いを浮かべながら口を開いた。

「ほう……僕を殺したあの男は、ここの局長だったのか」

演算器の画面に映《うつ》るデータを見ながら、眼鏡のような仮面をつけた破面《アランカル》の男は、怜悧《れいり》さを感じさせる声で阿近達に語りかけた。

「君達には同情するよ。あんな身勝手な男の下では、ろくに能力も発揮できないだろう?」

局員達にとって、その声に聞き覚えはない。

だが——その男の顔には、確かに見覚えがあった。

「お、おい、こいつ……」

「倉庫の奥で、不壊液漬《ふかいえきづ》けにされてる標本の奴だよな……?」

標本。

その単語を聞いた瞬間、破面《アランカル》の男は眼を細め、笑《え》みを僅《わず》かに残したまま唐突《とうとつ》に叫ぶ。

「標本……ハッ! 標本ときたか! 一時的に敗北したという事実があるとはいえ、想像以上に屈辱《くつじょく》だね! 死体とはいえ、僕の軀《からだ》が観察される側になっているなんて!」

——不味《まず》いな。

阿近は、妙に不安定なテンションの破面《アランカル》の様子を見ながら思案した。

——あの標本とこいつが同一人物……少なくとも同等の力を持つ『何か』だと仮定したらの話だが……。

——こいつ確か……十刃《エスパーダ》の一人だった筈《はず》だろ？

『ザエルアポロ・グランツ』

標本の整理札《ふだ》に書かれていた個体名を阿近達が思い出すのとほぼ同時に、破面《アランカル》の男はゆっくりと椅子《いす》から立ち上がった。

「それじゃ、早速《さっそく》その『標本』を見せて貰《もら》うとしようか。自分の死体を観察する機会なんて滅多に無い事だからね。まあ、現世で死んだ瞬間なんか、ろくに覚えちゃいないんだが」

瀞霊廷に単独で侵入しているにもかかわらず泰然自若《たいぜんじじゃく》とした態度の破面《アランカル》。研究員達はその不気味な霊圧に悲鳴をあげる事すらままならなかったが、阿近だけはその硬直から逃《のが》れ、眼前の破面《アランカル》に言葉を放《はな》つ。

「……まるで、少しは覚えてる、みてえな言いぐさだな」

通常の虚《ホロウ》が数万、数百万と縒《よ》り集《あつ》まった結果である大虚《メノスグランデ》。その大虚《メノス》が更《さら》に互いを喰《く》らい合ったような存在に、虚《ホロウ》一体一体の生前の記憶など残っている筈はない。その事実との食い違いを問いかけたのだが——

「……この状況でそんな事を気にするとはね。なるほど、君も研究者の端くれというわけ

か。だが、僕から正解を教える義理も義務もないし、ハッキリ言うと君ら程度の存在に、さして興味もないんだ。死神としても、科学者としてもね」

「他人様《ひと》の研究施設に堂々と乗りこんでおいて、随分《ずいぶん》と言ってくれるじゃねえか」

「お喋《しゃべ》りはここまでだ。知りたい事があるなら、自力で到達すればいい」

傲慢《ごうまん》な言葉を口にした後、標本と良く似た姿をした破面《アランカル》は、腰に下げた破面《アランカル》特有の斬魄《ざんぱく》刀《とう》に手を掛けた。

「答えが出るまで、君らが生き残れたらの話だけどね」


数秒後。

技術開発局の一部施設で起きた爆発が警報代わりとなり、旅禍《りょか》の瀞霊廷侵入を多くの死神が知る結果となる。

技術開発局の研究員達が気づかなかったのと同じように、この瞬間まで、瀞霊廷内にて旅禍の結界内侵入を察知できたものは存在しなかった。

ただ一人の、例外を除《のぞ》いて。

『瀞霊廷』の範疇《はんちゅう》に入るかどうかすら定《さだ》かではない場所に、『反膜《ネガシオン》の糸』の存在に気づいていた者が、たった一人だけ存在していた。

瀞霊廷の遥か地下にして、幾重《いくえ》もの結界を越えた先。

絶望すら存在を許されぬ、限りなく『無』に近い空間。

死の安らぎを与える事すら拒絶された、尸魂界《ソウル・ソサエティ》でも指折りの大罪人《たいざいにん》達が封印されし場所に。

当然ながら――その場所に存在する彼もまた、『稀代《きだい》の大罪人』の一人だったのだが。

≑

闇《やみ》の中

「…………」

その『大罪人《たいざいにん》』は、無駄《むだ》な言葉を放《はな》つ事はなく、ただ、薄く目を開いただけだった。

だが、その僅《わず》かな動きを合図として、罪人の耳に騒々しい女の声が響《ひび》き渡《わた》る。

「キハ、キハハハハ！　久しぶり久しぶり！　目を開いたの、何年ぶりだっけ？　二百五十年振りかな？　それとも五百年振り？　二万年ぶりだったかも！　それとも三秒前に開いてたっけか？　キハ、キハハハ、キハハハハハハハハハヒハハハヒャハハハ！」

さして意味もない言葉の羅列《られつ》に対し、罪人は目に続く形で、ゆっくりと口を開いた。

「……藍染惣右介《あいぜんそうすけ》が、ここに封じられた時以来だ」

すると、彼の言葉に触発《しょくはつ》されたかのように、闇の中にボウ、と緩《ゆる》やかな明かりが灯《とも》る。

明かりの中に見えるのは、黒く塗《ぬ》られた特殊な床と、前後左右に延々と広がる冷たい暗がりだ。光が灯っているのは男の周《まわ》りだけで、明かりが床以外の壁や天井を映《うつ》し出《だ》す事はなく、重い暗闇が周囲を取《と》り囲《かこ》んでいる状態だ。

純粋で圧倒的な影にのしかかられた空間の中――彼の目に映るのは、黒革《くろかわ》の帯で目を隠し、派手な装飾のついた白装束《しろしょうぞく》を纏《まと》う女の姿。

首を歪《いびつ》に傾け、恍惚《こうこつ》とも取れる笑《え》みを浮かべる女は、罪人に対して更《さら》に問う。

「ああ、そうそう、そうだったよね！　藍染がオレンジ色した髪の死神代行にキッーイ一撃を喰《く》らわされて、その隙《すき》に二番隊第三席を経《へ》て十二番隊隊長兼《けん》初代技術開発局長になったけど藍染の罠《わな》で現世に追いやられた浦原喜助《うらはらきすけ》に封印されて、皆殺しにした四十六室《しじゅうろくしつ》の代わりに補充《ほじゅう》された四十六人の裁判官と賢者に禁固二万年の刑を喰らっちゃってここに入ってきた時以来だよねぇ！　キヒハハッ！　なんでなんで？　なんで今度は目を開けたの？」

異常な早口で、鬱陶《うっとう》しい程《ほど》に過分な説明言葉を唱《うた》いあげる白い着物の女。

だが、男はその異常な物言いを指摘する事もなく、淡々《たんたん》と答えだけを口にした。

「細い糸が……私の中に入ってきた」

「入ってきたって何？　何々？　官能的な話？　私が興奮しちゃうような話題？」

「少なくとも私は興奮しない話だ。霊子《れいし》……いや、反膜《ネガシオン》の糸か」

具体的な説明もなく、本当にただ『答え』だけを告《つ》げる罪人の男。

彼は静かに立ち上がり、やはり、必要最小限な事だけを女に告げる。

本当にあっさりと、それがどれだけ異常な事かも感じさせぬ調子で——

ただ、一言《ひとこと》。

「……【無間《ここ》】を出るべきかどうか、暫《しば》し考察するとしよう」

六章

技術開発局

あちこちが破壊され、未《いま》だ煙を噴《ふ》いている機械設備もある技術開発局の一画。

四番隊の死神が怪我《けが》をした局員達を運んでいく側《そば》で、二人の男が言葉を交《か》わしている。

身体《からだ》のあちこちに怪我を負《お》っている阿近《アコン》と、仏頂面《ぶっちょうづら》をしている涅《くろつち》マユリだ。

「すいません局長。俺達の力じゃ、記録の予備蓄積室を護《まも》るのが精一杯でした」

何の言《い》い訳《わけ》をする事もなく頭を下げる阿近に、マユリは苛立《いらだ》たしげに告《つ》げる。

「無意味な謝罪をするヒマがあるなら、早急に説明したまえヨ」

技術開発局襲撃《しゅうげき》の報を受け、裁判は一時中断となった。そこで、従者として連れていた副隊長のネムと共に戻って来たのだが——

技術開発局には既《すで》に『ザエルアポロ』らしき破面《アランカル》の影はなく、ただ破壊の爪痕《つめあと》だけが残されている状態だった。

「敵の能力は君らに仕込んである菌《きん》の観測結果を後で解析《かいせき》するからいいとしよう。そんな事より、件《くだん》の旅禍《りよか》は、何故《なぜ》君らにトドメも刺さずに消えたんだネ？　破壊の痕跡《こんせき》を見るに、とても君ら全員が生き残れるようなぬるい敵とは思えんのだがネ」

部下が生きていた事に対する歓《よろこ》びも特に感じさせぬ声で、淡々《たんたん》と自身の欲求に従って問いかけるマユリ。

阿近は少し考えた後、襲撃後の事を思い出しながら、ただ事実だけを局長に告げた。

「それが、自分の標本を見つけた後、妙な反応をしやがりましてね……」

半刻前

煙の立ちこめる技術開発局の一画で、旅禍の男が悦楽《えつらく》に口の端を歪《ゆが》める。

「なるほど。簡単に仕留《しと》められるかと思ったが、技術開発局員と名乗るだけの事はある。普通の死神とは違う、独特な技《わざ》を使う者が多いようだね」

彼の視線の先にあるのは、傷つきながらも生き残っている技術開発局員達だ。単なる非戦闘員だと馬鹿にしていたのか、まだ誰の霊圧《れいあつ》も消えていない事に気づいて嬉《うれ》しそうに呟《つぶや》いた。

「せっかくの機会だ。後で処分する時、じっくりと観察させて貰《もら》うとしよう」

楽しげに言いつつ、先にやる事があるとばかりに歩《ほ》を進める旅禍の男。

そして彼は、破壊された開発局の奥にあった、巨大な円柱形の水槽《すいそう》に辿《たど》り着《つ》いた。

透明な水槽の中にはいくつもの研究素材があり、その中から、薄く発光する液体の中にある一体の『標本』に目を向ける。

破面《アランカル》は斬魄刀《ざんぱくとう》で斬《き》られて死ぬと、個体差はあるものの、魂《たましい》が浄化され、肉体は消滅するケースが多い。それを止める為《ため》に、マユリが何か特殊な措置《そち》をしてこうした『標本』としている。旅禍の男にとってはそうした事実も興味深いのか、設備をつぶさに観察した後に、やっと標本の顔を見て口を開いた。

「ハハ、録霊蟲《ろくれいちゆう》のデータ通りだな。僕としたことが、自分が死んだ事にも気づいていない、なんとも呆《ほう》けた顔をしたものだ」

苦笑しながら水槽の表面に手を添《そ》え、まだ意識のある警備担当の十二番隊員や研究員達に顔を向ける。

「喜ぶといい。君達は、死を迎えた肉体と魂の再融合《ゆうごう》という、貴重な瞬間に立ち会えるのだからね」

そして、旅禍は水槽に手をつけ、その中に己の腕を染みこませた。

まるで硝子《がらす》が水に変わったかのように、中の液体を零《こぼ》さぬまま内部に手を伸ばしていく。

奇妙な光景を前に、目撃者達は息を呑んだ。

そして、標本となっている死体に腕が触れ、旅禍は不敵に笑ったのだが――

ふと、その笑《え》みが困惑《こんわく》へと変わる。

「…………?」

自分の指先を、同じ姿をした遺体に向かって何度も押しつけ――何も変化が起きない事を確認すると、困惑の色を苛立ちへと塗《ぬ》り替《か》えた。

「……これは」

そして、研究員達に怒《いか》りをやや混じらせた視線を向けつつ、表面上は冷静を装《よそお》って問いかける。

「お前達……何をした？」

何を言われているのか解《わか》らないといった調子の研究員達を見て、旅禍の男は軽く舌打ちをして独《ひと》り言《ごと》のように呟いた。

「涅マユリ……奴《やつ》の仕業《しわざ》か……！」

局長の名前を吐《は》き出《だ》すと共に、旅禍の双眸《そうぼう》に明確な憎悪《ぞうお》と殺意が宿り始め、その眼光を躊躇《ためら》う事なく職員達に向ける。

そして、苛立ちを発散させる為《ため》だけに『力』を振るおうとした瞬間——旅禍は急に動きを止め、激情を瞬時に冷《さ》まして呟いた。

「この霊圧は……ノイトラとヤミーを斬った奴だね」

スウ、と目を細め、眼鏡《めがね》型の仮面の位置を直しながら、最初に現れた時と同じように不敵な笑みを浮かべる旅禍の男。

「歓《よろこ》びたまえ。君達の寿命が少し延びた。……流石《さすが》に、そんな野獣のような奴と今の状態で斬り合うつもりはない」

彼は意識のある者達にそう告げると、その姿をゆっくりと空気の中に滲《にじ》ませる。

まるで溶《と》けるように消える男の姿を見て、一般隊士も局員達も驚きを目に浮かべた。

更《さら》には、男が手を触れていた水槽内の『標本』もまた、彼と同じようにその姿を風景の中に溶けこませ——

男と標本が完全に透明になるのと、背後で轟音《ごうおん》が鳴《な》り響《ひび》くのは、ほぼ同時の事だった。

現在

「つまり、その……保管庫の壁をぶった切ったのは、更木《ざらき》隊長でして」

派手に破壊されている研究資料保管室の壁に視線を送りながら、阿近が話を締《し》め括《くく》る。

マユリは最後に出てきた人名を聞いて、憎々しげに唸《うな》りつつ上下の歯を軋《きし》ませた。

「あのケダモノめ！　十一番隊の連中は門に向かっていた筈《はず》じゃあなかったのかネ⁉」

「大方《おおかた》、また道に迷ってる所で爆発を見てこっちに来たんじゃないっすかね。ほら、あの人、霊圧《れいあつ》探知とかカラっきしじゃないっすか。卍解《ばんかい》同士の激突レベルじゃないと他人が闘《たたか》ってるのにも気づかないらしいですし、霊絡《れいらく》が見えるかどうかも怪《あや》しい所です」

「野獣のくせに獲物《えもの》を探す力が無いとは、単なる欠陥品じゃあないかネ！　……まあ、あんな無能な蛮人《ばんじん》はどうでもいい。それより、消えた破面《アランカル》についての話だヨ」

十一番隊の隊長に怒りを覚えても意味などないし、抗議したところでその男が自分を変える事などないと知っているマユリは、早々に話と気持ちを切り替える事にした。

「話を聞くに、その消え方は、空座町《からくらちょう》に出没していた破面《アランカル》の女と同じというわけかネ？」

「観測用の蟲《むし》が空座町で撮影した映像と比《くら》べる限りじゃ、同じように見えましたね」

「ほう……それは中々面白《おもしろ》いネ。虚共《ホロウども》が独自に開発した技術か、あるいは特定の虚《ホロウ》に突発的に現れた能力なのか……是非《ぜひ》とも、個体を捕《と》らえて解剖したい所だヨ」

ここに到《いた》るまで、部下を心配する言葉は一つもない。

だが、阿近もそれに対する不満など欠片《かけら》も見せず、淡々《たんたん》と上司に問いかける。

「つーか、あの標本と同じ外見の奴《やつ》はなんなんすか？　局長の書かれた資料に、他人の身体《からだ》を使って転生する技《わざ》についてありましたけど、それと関係あるんですかね」

「フム。まだ答えが出ていない以上、無関係とは言わんがネ……あの標本が残していた研究記録と、その破面《アランカル》の女の情報から、推測できる事はあるヨ」

暫《しばら》く顎《あご》をさすった後、マユリは僅《わず》かに目を細め、剣八《けんぱち》の名を耳にした時とは別種の不快感を顔に出しつつ呟《つぶや》いた。

「私としては、この推測は外《はず》れていていてほしいんだがネ」

≒

尸魂界《ソウル・ソサエティ》　瀞霊廷某所《せいれいていぼうしょ》

瀞霊廷の内外に現れた旅禍《りょか》に対し、護廷《ごてい》十三隊の緊急召集が行われた少し後。

京楽《きょうらく》 春水《しゅんすい》がその『女』を見かけたのは、雨乾堂《うげんどう》と呼ばれる庵《いおり》の側《そば》だった。

瀞霊廷の中に存在する小さな湖の上に浮かぶ小さな庵は、肺病を患《わずら》っている十三番隊長、浮竹十四郎《うきたけじゅうしろう》の静養所となっている。

緊急召集を病欠した浮竹の様子を見に来たのと、話せる程度の体調ならば、現在の状況について相談するつもりで雨乾堂へと足を向けたのだ。

静養所だけあって、周囲には風流な景色が広がっているのだが——久方《ひさかた》ぶりに訪れた京楽は、青と緑が融和《ゆうわ》した景色の中に、いつもは存在しない色が浮かび上がっている事に気がついた。

地味ではあるが、明らかに尸魂界《ソウル・ソサエティ》の空気とは異なる衣装にも違和感を覚える。だが、それよりも遥《はる》かに強く庵周辺の風情《ふぜい》を壊していたのは、彼女の顔の片側を覆《おお》う純白の髑髏《どくろ》面《めん》だった。

破面《アランカル》。

一目《ひとめ》でそれと解《わか》る女を見て、京楽はまず自分の霊圧《れいあつ》を極限まで抑《おさ》えこみ、様子を窺《うかが》う。

それは、些《いささ》か奇妙な破面《アランカル》だった。

確かに姿だけを見れば破面《アランカル》と解るのだが、彼女から放《はな》たれる霊圧は驚くほど静かで、視認していなければ、恐らく気づく事すらできなかっただろう。

物質の全《すべ》てが霊子《れいし》で構成されている尸魂界《ソウル・ソサエティ》ではあるが、まるで石灯籠《いしどうろう》や樹木のように静かな霊子の揺らぎを保《たも》っている女破面《アランカル》を見て、京楽は警戒心と好奇心を同時に抱《いだ》く。

彼は深く息を吐《は》きながら顎《あご》の無精髭《ぶしょうひげ》をさすった後、トレードマークである笠《かさ》を軽く被《かぶ》り直してから女に近づき、語りかけた。

「迷子かい、お嬢さん」

「……ッ！」

振り返った女の顔には、少なからず驚きの色が見えた。

同時に、彼女の身体《からだ》から通常の破面《アランカル》のような霊圧が湧《わ》き上《あ》がる。

まるで、石を投げこまれて水面が波立つ時のように、破面《アランカル》特有の霊圧が雨乾堂の風景の中に染《し》み渡《わた》った。

最初は霊圧を消した京楽の接近に驚いた様子だったが——一秒後、その顔に、別種の驚きの色が混《ま》じる。

「貴方《あなた》は……あの時の、、、……」

「あの時？　……はて、どこかで会ったかね？　おかしいな。君みたいな可愛《かわい》い娘《こ》、一度見たら忘れないと思うんだけどねえ」

心中では警戒しつつも、表には欠片《かけら》も敵意を出さぬまま、相手の出方を探《さぐ》る京楽。

だが、女は京楽の敵意などは関係なく、己《おのれ》の姿を空気の中に溶《と》けこませていった。

「これは……」

瞬歩《しゅんぽ》で姿を消したわけでも、黒腔《ガルガンタ》に身を潜《ひそ》めたわけでもない。

まさしく霧が晴れるように薄らいでいく女は、最後に京楽を見てペコリと頭を下げる。

「あの……剣屋敷剣八さんと一緒に居た方、ですよね」

「！」

「あ、あの……申《もう》し訳《わけ》ありません。ここの景色があまりに綺麗《きれい》だったので……思わず繋がってしまいました。すぐに消えますので、お気になさらないで下さい」

奇妙な事を呟《つぶや》く破面《アランカル》だったが、京楽の関心は、その直前に紡《つむ》がれた名に注《そそ》がれていた。

──剣屋敷《くるやしき》……剣八《けんぱち》。

二百年以上前に死んだ死神の名を耳にし、表情をやや厳しくする京楽。

──どうして、君がその名前を？

そう尋《たず》ねようとした時は既《すで》に遅く、彼女の姿は完全に消え去り、後には風に揺れる、いつも通りの湖畔《こはん》の景色が残されているだけだった。

訪れた沈黙を打ち破るように、雨乾堂の入口に下げられていた簾《すだれ》が押し開かれる。

「京楽じゃないか！　どうしたんだ？　今、一瞬虚《ホロウ》の霊圧があったように思えたが……」

「ああ、いや、大した事じゃないさ。後で隊首会の結果と一緒に説明するよ。取り急ぎ伝えるべきは、山爺《やまじい》から斬魄刀《ざんぱくとう》の常時携帯と戦時全面解放の許可が出たって事ぐらいだね」

顔を見せた浮竹に誤魔化《ごまか》しまじりの報告をしつつ、心中に疑念を湧き上がらせた。

――本当に、『大した事』じゃないといいんだけどねえ……。

彼は、空気中に溶けこむように姿を消した破面《アランカル》を見て、ある人物を思い出したのだ。

破面《アランカル》の娘が呟いた『剣屋敷剣八』を殺し、『剣八』という名の死神ではなく――

その『剣屋敷剣八』を殺し、『剣八』の名を受《う》け継《つ》いだ男の事を。

――こんな時に、あの男の事を思い出すなんてね。

――単なる偶然……とは、思わない方が良さそうだ。

――面倒な事になってきたねえ……どうも。

「どうした京楽、なにか悩み事か？」

「ちょっとね」

浮竹の言葉に肩を竦《すく》めつつ、京楽は空を仰《あお》ぎながら言葉を返す。

「少しばかり、嫌《いや》な予感がするってだけさ」

＊

瀞霊廷《せいれいてい》　北　黒陵門《こくりょうもん》

「……あれ？」

　ピカロの一人がそう呟《つぶや》いたのを皮切りに、黒陵門にて死神達と小競《こぜ》り合《あ》いを続けていた破面《アランカル》達が一斉《いっせい》に動きを止めた。

「？」

　不審に思った死神達も、思わず動きを止めて様子を窺《うかが》う。隙《すき》だらけだと斬《き》りつけるチャンスではあるのだが、ここに到《いた》るまでも破面《アランカル》達は隙だらけであり、死神達は、既《すで》にいくつもの斬撃《ざんげき》を叩《たた》きこんでいた。並の隊士の刃《やいば》では破面《アランカル》の鋼皮《イエロ》に止められてしまうが、席官クラスの者達の攻撃は通るようで、時折《ときおり》大きなダメージを与える事には成功していたのだ。

　しかし、不思議な事に——彼らは斬られた直後はダメージを受けて倒《たお》れ伏《ふ》すのだが、少し経《た》つと何事もなかったかのように起き上がるのだ。自然治癒《ちゆ》、というレベルでは済《す》まされない、破面《アランカル》になる前の虚《ホロウ》に見られる超回復を持ち合わせているかのようだった。

　もっとも——子供相手にも全《まった》く容赦《ようしゃ》ないタイプの死神が明確に致命傷を与えた個体すら復活する姿は、超回復などという単語では済まされない『何か』だったのだが。

攻撃をするというより、戦い続けている自分達が休む為《ため》の時間が生まれた事に感謝しつつ、死神達は二十体程《ほど》の破面《アランカル》の様子を窺い続ける。

だが、息を切らせている死神達とは対照的に、ピカロ達は遊び疲れたという様子すら見せずに言葉を交《か》わし合《あ》う。

「ねーねー、お姉ちゃんの『糸』、塀《へい》の中から急に数が減っちゃったよー」

「えー」「Qrrrrrrr」「もしかして、どこかに行っちゃったの？」

「どうでもいいよ」「死神さん達と殺し合いして遊ぶの、愉《たの》しいもん！」

ケラケラと笑いながら戦いを続行しようとする子供達の側《そば》に、また一人、ヘッドホン型の仮面をつけた個体が現れた。

「駄目《だめ》だよ、鈍感《どんかん》おじさんと競争してる途中なんだから！」

口を尖《とが》らせる少年の言葉に、周《まわ》りの子供達も同意する。

「そういえばそうだったね」

「すっかり忘れてた！」

「おナか　スい　タ」

「じゃあ、とりあえずこの周りから捜《さが》してみよっか！」

口々に言い合いながら、少年少女達は死神達へと一斉に振り返り、無邪気《むじゃき》な笑《え》みを浮かべて刀を握《にぎ》る手を振った。

「じゃーねー、死神さん達！　また遊ぼうねー！」

数秒後——響転《ソニード》を用いてあっという間にその姿を消した破面《アランカル》達に、一人の死神が胸をなで下ろす。

「なんだか知らないけど、助かったんすよね……？」

「喜ぶ奴《やつ》があるか！　結局あのガキ共《ども》を一人も仕留《しと》められなかったんだぞ！」

そんな彼らの伝令神機《でんれいしんき》が鳴《な》り響《ひび》き、通達文が届く。

『十一番隊の更木《ざらき》隊長が間もなくそちらに到着する。あとは彼に任《まか》せるように』

「げっ⁉」

技術開発局に辿《たど》り着《つ》いた更木剣八《けんぱち》は、敵が逃げたと知るや、襲撃《しゅうげき》を受けているというこの門に目標を変えたらしい。門から門まで歩いて十日はかかると言われている広大な瀞霊廷の中を走り続け、通常では考えられない速度でこちらに接近していたのだ。

「もっ……もう敵は全部逃げたなんて知られたら、更木隊長、激怒《げきど》するんじゃ……」

恐ろしさ数倍増しで剣八の噂《うわさ》を聞いている別番隊の隊員達は、頼もしい筈《はず》の援軍の到着に心の底から恐怖した。

「……別に助かってなかったっすね、俺達……」

≒

地下監獄《かんごく》最下層　第八監獄【無間《むけん》】

闇《やみ》があった。

正確には、闇を闇であると確認する事さえできない空間が存在していた。

上下左右の感覚が覚束《おぼつか》なくなり、重力すら存在しないのではないかと思える場所。それが、【無間】と呼ばれる監獄だ。

内部に入れられた者は僅《わず》か数名。だが、そのたった数名の為《ため》に、尸魂界《ソウル・ソサエティ》は尋常《じんじょう》ならざる労力を費《つい》やして空間そのものを維持《いじ》している。

罪人《ざいにん》達に『世界』を感じさせない為に。

同時に、罪人達を『世界』から隠し、忘れさせる為に。

尸魂界《ソウル・ソサエティ》が彼らを『存在しない事』にする為にこしらえた巨大な洞《うろ》。

最初の罪人が誰なのか、まだ存命しているのか、それを知る者は尸魂界《ソウル・ソサエティ》にも殆《ほとん》どいない。

ただ、最後に封じられた罪人は、まだ尸魂界《ソウル・ソサエティ》の住人達にとって記憶に新しい存在であり、投獄された後も死神達の心に様々な影響を与え続けている。


藍染惣右介《あいぜんそうすけ》。


死神でありながら、虚《ホロウ》達の王。

虚圏《ウエコムンド》の支配者として君臨し、崩玉《ほうぎょく》の絶大なる力をもって霊王《れいおう》を討《う》とうとした大逆《たいぎゃく》の徒。

黒崎一護《くろさきいちご》をはじめとする死神達によって野望を打《う》ち砕《くだ》かれ、不死の身体《からだ》を持ったまま【無間】へと投獄された身だ。

死神専用の処刑具である双殛《そうきょく》は既《すで》に破壊されているが、もし、それがあったとしても、崩玉によって不死身の肉体を得た藍染を殺す事はできない。

彼は手足のみならず、両目両耳、口や皮膚の感覚すらも縛道《ばくどう》によって封じられ、闇の中で更《さら》なる闇に囚《とら》われている状態だ。

だが――そんな彼の感覚の一部が、唐突《とうとつ》に解放される。

何の前触《まえぶ》れもなく、彼の片目と片耳、口の封印が解除され、縛道の触媒《しょくばい》として用いられていた布の一部が剝《は》がれ落《お》ちた。

黒い布の下から現れた目に映《うつ》るのは、完全なる闇。

だが、その闇の中に柔《やわ》らかい明かりが浮かび上がる。

【無間】に存在する筈《はず》のない古めかしい行燈《あんどん》が、椅子《いす》に括《くく》りつけられた自分の前で煌々《こうこう》と明かりを灯《とも》している。

崩玉と融合《ゆうごう》した身体は、投獄されて以来浴びていなかった光にもすぐに目を慣《な》れさせた。

そして、藍染惣右介は、行燈の傍《かたわ》らに一人の男が立っている事を確認する。

通常ではありえない光景を前にしても、藍染の目に驚きの色も困惑《こんわく》の色もない。

寧《むし》ろ、こうなる事を予想していたとでもいうかのように、泰然自若《たいぜんじじゃく》とした態度で口元に笑《え》みを浮かべ、呟《つぶや》いた。

「これはこれは。古参の受刑者にお目に掛かれて光栄と言うべきかな？」

流暢《りゅうちょう》な言葉。

常人ならば、一年以上口を封じられれば、舌や喉《のど》を動かす感覚を取り戻す事に時間が掛かり、最初は声を出す事すらままならないだろう。

だが、藍染の言葉の調子は【無間】に投獄される前と何一つ変わらず、言葉の裏には投獄されている事に対する悲観もなければ、罪《つみ》の意識に苛《さいな》まれている様子もない。

悠然《ゆうぜん》たる態度で、全《すべ》てを見通すような目を眼前の男に向ける藍染。

「君の事は、なんと呼ぶべきだろうね。本名である痣城双也《あざしろそうや》か、あるいは、尸魂界《ソウル・ソサエティ》で最強の死神に許される称号にささやかな敬意をこめ、こう呼ぶべきだろうか」

未《いま》だ全身を封印されている藍染と、眼前に立つ、どこも拘束《こうそく》されていない男。

明らかに後者の方が有利な立場な筈なのだが、藍染はその男に気後《きおく》れした様子もなく、寧《むし》ろ、自《みずか》らがその場の空気を掌握《しょうあく》しているかのように相手の名前を口にした。

「十一番隊、八代目隊長……痣城剣八《けんぱち》とね」


痣城剣八。

藍染から己《おのれ》の名を呼ばれた男の後ろから、白い着物を纏《まと》った女がヒョイ、と顔を出す。

「キハ！　キハハハ！　見てよねぇねぇ！　こいつ！　この藍染って奴《やつ》！　全然焦《あせ》ってないよ！　急に明るくなったのに！　急に自分の目と耳と口が自由になったのにさ！　超余裕って感じだよ？　これが崩玉の力って奴なのかな？　凄《すご》いじゃんカッコイイじゃん！　奪《うば》っちゃいなよ、崩玉！　剣《けん》の字《じ》ならできるだろ？　こいつの身体を爪先《つまさき》から目玉の裏側の血管の奥の奥まで抉《えぐ》って抉って抉り抜いてさぁ！　霊子《れいし》を全部裏返して崩玉の力だけ舐《な》め取《と》っちゃえばいいじゃん！　キハハハハ！　キハハハハハハハ！」

無駄口《むだぐち》を叩《たた》きながら、欣喜雀躍《きんきじやくやく》といった様子で笑う女。

だが、藍染は特に反応を示さず、薄い笑みを浮かべたままだ。

痣城は静かに目を細め、女にだけ聞こえる声で呟いた。

「お前は黙っていろ」

そして、大仰《おおぎよう》に両手で口を押さえた女から視線を藍染に戻し、抑揚《よくよう》の少ない声で応《こた》える。

「私の事を知っているのならば、話が早くて助かる」

自己紹介をする事もなく、痣城は淡々《たんたん》と言葉を放《はな》つ。

「後《のち》に無駄な問いかけをされぬよう、最初に断《ことわ》っておくが……私は、君の犯《おか》した罪にも、崩玉の力にも興味はない。ただ、『外』について、いくつか尋《たず》ねたいだけだ」

「買いかぶりではないのかな？　【無間】にいいいいいいいいいいいいいいいながら瀞霊廷の全てを見透かし、私の鏡花水月の幻術すら通じないであろう男に、今さら教えられる事などないと思うが」

余裕の表情で妙な事を呟く藍染に、痣城は『無駄な挑発には乗らない』とばかりに、特に何も答えない。そして、『【無間】にいながら瀞霊廷の全てを見透かす』という点についても、特に否定はしなかった。

代わりに、白い着物の女が再びヒョコリと顔を出し、痣城を指さしながら笑う。

「キハハハハ！　それこそ買いかぶりだよね！　剣の字が鏡花水月《きょうかすいげつ》の幻術を見透《みす》かせるようになるまでは、二日もかかったってのにさ！　二日間、真っ暗な中でずっと『おかしい』だの『妙だ』だの『感覚と現実が異《こと》なる場所がある』だのブツブツ言ってた癖にさァ！」

所々で痣城の顔と声をマネる女だが、模倣《もほう》されている当人は全《まった》く動じた様子がない。

ただ、女の言葉ではなく存在自体が鬱陶《うっとう》しいとでも言いたげな顔で呟いた。

「……静かにしていろ」

「あーあー、こりゃもう差がついちゃったね！　やっぱり藍染の方が大物っぽい！　そりゃ霊王を殺そうなんて大それた事を考えるわけだよ！　小心者のあんたには一生追いつけない高みにいるね！　藍染じゃなくて藍染様って呼んどいた方がいいんじゃない？　東仙《とうせん》要《かなめ》みたいに妄信《もうしん》しちゃいなよ！　……はいはい。解《わか》ったよ、黙るよ！　キヒハハハ！」

話の途中で鋭く睨《にら》みつけられた女は、ケラケラ笑いながら暗闇《くらやみ》の奥へと駆けていった。

藍染は何も口を出さず、楽しげに痣城の様子を観察している。

痣城も、そんな余裕の態度の藍染を特に不快と思わず、改めて言葉を吐《は》き出《だ》した。

「私が聞きたいのは、瀞霊廷の外の知識についてだ。無礼を承知で言うならば、君が黒崎一護に敗北した事は意外だった。それについても尋ねる事になるだろう」

すると、暗闇に駆けていった筈の女が痣城の背後から現れ、首筋に艶《なま》めかしく腕を絡《から》ませつつ、せせら笑う。

「キヒッ！　あんた、『藍染の進撃は零番隊《ゼロ》に止められて終わりだ』なーんて大まじめな顔で予想してたよね！　結局、零番隊までいかなかったじゃん藍染！　予想が外《はず》れちゃって超恥ずかしいでしょ？　ねえねえ、感想教えてよ感そ……ウヒヒッ⁉」

そのまま前方に投げ飛ばされ、藍染の隣の床に叩きつけられる白装束《しろしょうぞく》の女。

藍染は横にひっくり返った女ではなく、目の前の床に視線を落とし、『お前の敗北について聞きたい』と言った痣城に対してクックッと笑いながら言葉を返した。

「敗北か。当時の自分の心の乱れようを思い出すと、あれはあれで、有意義な体験だったと首肯《しゅこう》できる。君も一度味わってみるといい」

「敗北が有意義という感覚は、私には理解できない」

「君にとってはそうだろう。この見解の相違について、議論を続ける気はあるのかな？」

「いや。無駄話はしたくない」

藍染の話をあっさりと『無駄話』と切り捨てる痣城。

そんな彼の答えを聞いて、藍染は殊更嬉《ことさらうれ》しそうに頬《ほお》を歪《ゆが》め、口を開いた。

「構《かま》わないよ。暫《しば》しの間、君の問いかけに付き合おう」

「感謝する。君には得のない取引だ」

大罪人《藍染》に対して純粋な謝意を口にする大罪人《痣城剣八》。

だが、その感謝を拒絶するかのように、藍染は視線を上げながら言った。

「そんな事はないさ。……問いの内容から君の行動とその結末を予想して、退屈しのぎにするとしよう」


幾《いく》ばくかの時が流れ――

いくつかの問いを投げかけ、その答えを全て聞き終えた痣城剣八は、藍染の前から姿を消した。

まるで闇の中に溶《と》けこむように、ゆっくりとその身を空気に拡散させたのだ。

現在、尸魂界《ソウル・ソサエティ》や空座町《からくらちょう》で目撃されている『髑髏面《どくろめん》の女』や、『ザエルアポロの姿をした旅禍《りょか》』と全く同じ消え方だった。

その事実を知ってか知らずか、藍染は薄く笑いつつ目を閉じる。

自らの言葉通り、痣城剣八の目的を推察し、その結末を想像する為に。

そして――【無間】の全てが、再び圧倒的な闇に支配された。

今しがたの会話など、全てが幻《まぼろし》だったと言わんばかりに。

七章

半日後　午前中　空座町《からくらちょう》

「ごめんなさい、ドン・観音寺《かんおんじ》さん！　お兄ちゃん、今日はうなぎ屋さんのアルバイトで家にいないんです！」

そんな少女の言葉を聞いて、観音寺は「なんと⁉」と派手に肩を落とす。

第二の故郷、空座町にて、爽《さわ》やかな朝を迎えたドン・観音寺。

彼は早速《さっそく》一番弟子である黒崎一護《くろさきいちご》と共に髑髏面《どくろめん》の女を捜《さが》そうとしたのだが——一護が死神の力を失っている事を知る前に、当人の不在という形で出鼻《でばな》を挫《くじ》かれる結果となった。

一護の霊圧《ソウル》の波動を感じなかったので家にはいないと思っていたが、それ以前に、町のどこにも彼の気配が見あたらない気がする。

——なるほど、マイ一番弟子は成長し、気配を消せるようになったのだな！

勝手に納得《なっとく》した観音寺は、別の人間について遊子《ゆず》に問いかける。

「では、ユーの父君、ミスター一心《いっしん》は……」

「本当にごめんなさい！　父さんも、今日は小児科さんの学会に出かけてるんです」

「そうか……新しい衣装のコーディネートについて意見を聞きたかったのだが」

いつも通りといえばいつも通りの派手な格好に、黒崎遊子は目を輝かせながら頷《うなず》いた。

「とっても素敵だと思います！」

「はっはっは、そうかそうか。ありがとうガール！　ふうむ、キュートなファンからのお墨付《すみつ》きを貰《もら》った所で、今日の所は出直すとしよう」

「ごめんなさい、私も、入学式の準備を友達とするって約束してて……でも、何か大事な用事なら、私もお手伝……」

彼女の言葉を遮《さえぎ》り、観音寺がビシリと言《い》い放《はな》つ。

「ノン！　ドンウォーリーだ！　人生のターニンポインツは限られている、ユーは友人達との約束を優先したまえ！」

≒

10分後　浦原《うらはら》商店前

ドン・観音寺《かんおんじ》には裏の顔がある。

『空座《からくら》防衛隊』という、彼が勝手に作った虚《ホロウ》対策組織の総司令官である、カラクラゴールドとしての顔だ。

もっとも、観音寺以外のメンバーは子供ばかりであり、周囲から見てもごっこ遊びのようにしか見えないのだが。

それでも、メンバーの中には人間離れした運動能力と、斬魄刀《ざんぱくとう》のような性質を持つ特殊な道具を用いて虚《ホロウ》を浄化できる者達がいた。

観音寺は挨拶《あいさつ》回りがてら、彼らも『髑髏面《どくろめん》の女捜索《そうさく》チーム』に加えようと声をかけたのだが——

「ごめんなさい……今日は……お店番があるから……」

「文句なら俺らに店番押しつけやがった店長に言えよ。つーかよぉ、そろそろゴールドの座ぁ、俺に明け渡してもいいんじゃねえかコラ？」

浦原商店の居候《いそうろう》（？）である紬屋雨《つむぎやウルル》と花刈《はなかり》ジン太《た》の言葉に、観音寺は残念そうに唸《うな》った。

「ふうむ……ならばしかたあるまい！　留守番とは帰る場所を護《まも》る重要な作業だ。永遠の輝きを放《はな》つカラクラゴールド・ザ・エターナルとして、君達の仕事を邪魔《じゃま》するわけにはいかん！」

本当に『何か』と闘《たたか》うつもりならば彼らの協力は必須《ひっす》の筈《はず》なのだが、遊子《ゆず》の時と同じようにあっさりと引き下がる観音寺。彼にとっては戦力かどうかというよりも、大人《おとな》か子供かという判断基準の方が重要なようだった。

「おいゴールド手前《てめえ》こら、さりげなく俺の意見を拒否してんじゃね……グゴモガッ⁉」

「ジン太殿《どの》……お客人にガンを飛ばすものではありませんぞ」

「てめッ……ぐ……モゴゴガガガッ⁉」

筋骨隆々《きんこつりゅうりゅう》とした店員にフェイスロックを掛けられ、顔を紫色《むらさきいろ》にするジン太。

そのまま引きずられていく少年を見送りつつ、観音寺は大男の店員について純粋な感想を呟《つぶや》いた。

「なんとファンタスティックな髪型だ！　一体どこの理容室で……⁉」

妙なシンパシーを覚えつつも、声をかけられる雰囲気ではなさそうなので、結局店の前から立ち去る事しかできなかった。

≑

数分後　路上

空座《からくら》防衛隊を招集する事もできなかった観音寺《かんおんじ》は、一人の男として町を彷徨《さまよ》う。

「それにしても……流石《さすが》にアルバイトの邪魔《じゃま》をするのは申《もう》し訳《わけ》ないが、マイ一番弟子である一護《いちご》とは会っておきたいところだ」

念のためにと遊子《ゆず》から『うなぎ屋』の電話番号を聞いていた観音寺だが、バイト先に乗りこむ事には躊躇《ちゅうちょ》していた。仕事というのは己《おのれ》の誇《ほこ》りも同義と考えている節《ふし》のある彼は、それを邪魔してまで自分の我《わ》が儘《まま》を押し通すつもりはないようだ。

そう思いつつも、彼は尚《なお》も一護と会う方法を思案する。

「何しろ、もう一護とは2年近く会っていない。弟子の成長を見極《みきわ》めずして師を名乗る事ができようか⁉　答えはノーだ！　ボーイズが大志を抱《いだ》くならば、師である我々も常《つね》にアンビシャスでなければならないのだから！」

と、妙な独《ひと》り言《ごと》を叫びながら新車『ジャンヌダルク』を走らせた。

彼は一護が死神としての力を全《すべ》て失っている事を知らない為《ため》、直接会う事になんら気遣《きづか》いも躊躇《ためら》いも感じていない。

「しかし、うなぎ屋で働くとは大したものだ。レイピア《串打ち》3年、スラッシュ《裂き》8年、バーニング《焼》・イズ《き》・ビューティフル《は一生》ライフというし、まだ出前持ちといったところだろうが……。待てよ？　私が出前を取ればボーイが運ぶに違いない！　そうなれば、私はバイトを邪魔せずに一護と会えて、店も儲《もう》かりオールオーケィではないか！」

自信満々に叫ぶと、近場の駐車場に車を駐《と》めて携帯電話を取り出した。

私服と同じように派手な装飾が施《ほどこ》された携帯に、遊子から聞いた『うなぎ屋』の番号を入力する。

『はい、こちら、うなぎ屋ですが！』

そして、電話に出た女性がそう言ったのを確認し、自信に満ちあふれた声を出す。

「うむ、鰻《うなぎ》のデリバリーを頼もう！　ベリー・ベリー・スペシャルな特上を二人前だ！」

出前を持ってきた一護に一人前を奢《おご》ろうという、彼なりの気配りを見せた注文だったのだが——

『あー？　何言ってんだ⁉　うちは、うなぎ屋だが鰻屋じゃねえ！』

と、怒声《どせい》と共に電話を切られてしまった。

「なッ……なにぃ⁉」

あまりといえばあまりの事態に目を丸くする観音寺。

黒崎《くろさき》一護がバイトをしている『うなぎ屋』というのは食事処《どころ》ではなく便利屋であり、店主の名字が『鰻屋《うなぎや》』なので店名も『うなぎ屋』という紛《まぎ》らわしい店なのだが——そんな事情を知らない観音寺は、狐《きつね》につままれるどころか爪先栽《つまさきげ》りを喰《く》らったような顔で唸《うな》った。

「むう……バカな。鰻屋なのに鰻屋ではない……だと……？　これはまさか、私の周囲の時空が捻《ねじ》れているのか……？　ミサオ丸《まる》・イン・パラレルワールド……？　もしかしたら私は、知らず知らずのうちに壮大《そうだい》な事件に巻きこまれてしまったのではあるまいか⁉　ぬう、町を彷徨《さまよ》う髑髏面《どくろめん》のスピリッツが何か関係を……？」

昨夜《ゆうべ》、子供型の破面《アランカル》達と妙な約束をした時点で『事件』には巻きこまれているのだが、全《まった》く関係ない所で自分の置かれている状況に危機感を抱《いだ》く観音寺。

「なるほど……これはうかうかしてはおれんな！　一刻も早く髑髏面のレディを捜《さが》さなければならないようだ！　とうッ！」

跳躍《ちょうやく》するかのようなかけ声と共にアクセルを踏みこみつつ、彼は己の持つ知覚をフル回転させた。


彼は、決して闘《たたか》いが得意なわけではない。

一護や隊長格の死神達と比《くら》べると、無力としか言いようのない存在だ。

当然ながら鬼道《きどう》を使えるわけでもなく、滅却師《クインシー》のようにいくつもの技能を持ち合わせているわけでもない。

だが、ただ一つだけ、並の死神や滅却師《クインシー》達よりも秀《ひい》でている点があった。

かつて、石田雨竜《いしだうりゅう》が初めて黒崎一護に勝負を挑《いど》み、虚《ホロウ》用の『撒き餌《まえ》』をばらまいた際――空座町に無数の虚《ホロウ》が集まるという異変を、観音寺も瞬間的に察知していた。

気のせいかと思える程《ほど》のささやかな感知だったのだが――問題は、彼がいた場所だ。

観音寺はその瞬間、東京の空座町から遠く離れた横浜《よこはま》市内にて、ロケの準備をしている最中だったのである。

彼は、確かにその時、30キロも離れた場所での虚の大量出現を感じ取っていたのだ。

まるで、一護が近場《ちかば》で闘っている仲間の霊圧《れいあつ》変化を感じ取るかのように。

それだけではない。

基本的に、観音寺の除霊《じょれい》番組にヤラセはない。

実際、観音寺が番組中にロケバスなどを移動させ、浮遊霊を探し当てる事が殆《ほとん》どだった。

一護と出会うまでは、知らず知らずのうちに、霊に対して虚化《ホロウか》を促進させる行動をとっていた観音寺だが、現在では対話を中心として未練を消す作業に移行している。

観音寺の唐突《とうとつ》な方向転換に視聴者やスタッフは首を傾《かし》げたが、それでも、彼の『霊を感じる能力』は全く変わらなかった為《ため》、これまでと同じように番組を続ける事ができた。

今日も午後からロケバスと共に『髑髏面の女』を捜す予定だったが、彼の中でだけ予定を前倒しにして、自《みずか》らの足で髑髏面の女を捜す事にした。

一半日のハンデを与えるつもりだったが、時空が捻れているとなれば、あのスピリッツ・チルドレン達に華《はな》を持たせるわけにもいかん！　彼らが危険な目に遭《あ》ってしまう！」

危険なのはその子供達そのものだとも知らぬまま、観音寺は愛車に乗って町を駆ける。

その行動が、己の身を更《さら》なる災禍《さいか》の中に躍《おど》りこませることになるとも気づかぬまま。

≑

空座町《からくらちょう》　馬芝《まし ば》地区　『ヒマワリソーイング』カラクラ店

多種多様な裁縫《さいほう》道具を、採算度外視の値で揃《そろ》えた24時間営業の洋裁店──『ヒマワリソーイング』は、町の主婦から町外の裁縫愛好者達まで、幅広い人間に愛されている店だ。

店を出た者の多くは、買った裁縫道具で家族や恋人に何を作るか思い浮かべながら、暖かい笑《え》みを浮かべている。

だが、そんな空気に反して、厳しい顔をした少年が店の前の公衆電話を使用していた。

眼鏡《めがね》の奥に鋭い眼光を隠した少年——石田雨竜《いしだうりゅう》は、受話器に向かって冷静に話し続ける。

「ああ、僕も昨晩《ゆうべ》の破面《アランカル》の気配は感じたよ。駆けつけた時には、もう消えていたけどね。……いや、例の女破面《アランカル》とは違う霊圧《れいあつ》だった。残滓《ざんし》から見て、消え方も普通に黒腔《ガルガンタ》を使ったんじゃないかな」

退魔《たいま》の力を持つ特殊な人間——『滅却師《クインシー》』の後継者《こうけいしゃ》として虚《ホロウ》を独自に狩り続ける石田も、破面《アランカル》の子供達が到来した事に気づいていたようだ。

「……ああ、黒崎《くろさき》には知らせない方がいいね。混乱させるだけだ。え？　ああ……茶渡《さど》君も見かけてないよ、彼も最近町を離れる事が多いみたいだから。……とりあえず、こっちは僕に任《まか》せて、井上《いのうえ》さんは有沢《ありさわ》さんの春大会の応援に行ってくるといいよ。有沢さんも破面《アランカル》と無関係じゃないからね。別の町とはいっても、襲《おそ》われる可能性が無いとは言えない」

電話の相手はどうやら井上織姫《おりひめ》のようで、黒崎一護《いちご》や他のクラスメイトと話す時よりも些《いささ》か口調が柔《やわ》らかくなっている。

それでも、昨晩の破面《アランカル》の到来を感じているだけに、いつもよりは気を引《ひ》き締《し》めて告《つ》げた。

「もし、そっちの町で何かあったら、浦原《うらはら》商店に電話をしてくれると助かる。そうすれば、浦原さんから僕に連絡が来ると思うから」

石田は昨晩の事が気になって井上に電話をしたのだが、どうやら織姫は空手部である有沢たつきの応援として町の外に向かう予定があったようだ。彼女も昨晩の気配を感じたようで、町に留《とど》まるべきではないのかと迷っていたのだが──『たつきを護《まも》った方がいい』という石田の言葉で行動を決めたようだ。

浦原喜助《きすけ》が不在がちなのは知っているが、副店主の握菱鉄裁《つかびしテッサイ》は店にいる事が多い。店主が居なくとも井上から連絡があれば無碍《むげ》にはしないだろう。

いくつか会話を交《か》わした後、石田は電話を切り、改めて町の中に目を向けた。

昨晩感じた破面《アランカル》の霊圧は、今は全《まった》く感じられない。

だが、警戒は続けるべきだろう。

そもそも、1年以上にわたって目撃例が続いている『髑髏面《どくろめん》の女』の件についても、まだ解決はしていないのだ。石田も気配を感じる事は何度かあったが、駆けつけた時には誰もおらず、時折《ときおり》アフロヘアの死神が騒いでいるのを見かけるだけだった。

黒崎一護も、町の中に現れる髑髏面の亡霊の噂《うわさ》は聞いていただろう。

だが、こちらにその話を振った事は一度もなく、石田や織姫、チャドも敢《あ》えて一護にその話題を持ちかける事はしなかった。

──まったく、黒崎の奴《やつ》め。

──興味が無いフリを続ければ、未練を断《た》ち切《き》れるとでも思っているのか。

決して彼をバカにするわけではなく、石田は寧《むし》ろ、彼に対して何もする事ができない自分自身に苛立《いらだ》ちを覚える。

彼も、かつて霊力の全《すべ》てを失った事がある。

父の協力によって回復したものの、あの方法は死神に対しては有効ではないらしい。力を失う事を経験した身だからこそ、彼は一護の代わりに闘《たたか》う事しかできない現状が歯痒《はがゆ》くて仕方なかった。

そんな事を考えながら、店の中に足を向けた石田だったが――

『ドン・観音寺《かんおんじ》がやってくる!』という見出しで、テレビの公開収録を告げるポスターが店頭に張られている事に気がついた。

「ドン・観音寺か……」

黒崎一護や井上の話では、本当に霊が見える能力者らしく、藍染《あいぜん》との決戦の際に空座町にいたという話も聞いたが、テレビの公開収録時に顔を見たぐらいで直接の接点はない。公開収録の際に見た限りでは、除霊法《じょれい》は完全に間違っていたものの、霊が見えるというのは本当のようだ。死神でも滅却師《クインシー》でもない霊能者。異様に派手な服装に身を包んだドン・観音寺のポスターを睨《ね》めつけ、石田は小さく独り言《ひとごと》を呟《つぶや》いた。

「服のセンスはなかなかだけど……色彩に統一感がないな。寒色系を主体にするべきだ」

≒

数時間後

結論だけ先に言うとするならば、観音寺《かんおんじ》は破面《アランカル》の子供達との勝負に勝った。

彼は、百を超《こ》す子供達が尸魂界《ソウル・ソサエティ》で『遊んで』いる間に、髑髏面《どくろめん》の女に辿《たど》り着《つ》く事に成功したのである。


観音寺はうなぎ屋に電話した後、空座町《からくらちょう》のありとあらゆる所を虱潰《しらみつぶ》しに駆《か》け巡《めぐ》った。

浦原《うらはら》商店のある空座町三ツ宮《みつみや》を起点として、学園町《がくえんちょう》、弓沢《ゆみさわ》、北川瀬《きたかわせ》、空座本町《ほんちょう》、南川瀬、笠咲《かさざき》、桜橋《さくらばし》、黄松《こまつ》、貴ノ茅《きのがや》、馬芝《ましば》、椿台《つばきだい》という順で、町の全《すべ》ての地区を、渦《うず》を巻く形で調査しようとしたのである。

そして、町の中央部にある馬芝から椿台の区画にさしかかったあたりで――

観音寺は、妙な感覚に気がついた。

車を走らせる途中、『何か』が身体《からだ》にまとわりつくような感覚。

宙に張られた蜘蛛《くも》の糸が一本、肌《はだ》に触《ふ》れた時の感触に似ていたが——オープンカーとはいえ、アスファルトで舗装された路上を走る車の中で、そう何度も蜘蛛の巣にひっかかるとは思えない。

念のため、信号待ちの時に車内を見てみたが、蜘蛛の類《たぐい》は見あたらなかった。

ただの気のせいと割り切る事は簡単だったが——椿台に入ったあたりからその感触が急激に増え始めた事で、観音寺の本能は一つの推測を脳髄《のうずい》に浮かび上がらせる。

この、蜘蛛の糸が身体に触れたような感覚は、何か霊的なものかもしれないと。

仮にこの『糸』が蜘蛛の巣を構成しているとするならば——

恐らく、その中心は椿台地区にあるだろうと。


霊的な糸を張る蜘蛛の本体。

その正体を推測するだけの知識など、観音寺は持ち合わせていなかった。

虚《ホロウ》かもしれないし、あるいは全《まった》く別の何かかもしれない。

一つ確かなのは、その『霊的な糸』は、町の広範囲に張《は》り巡《めぐ》らされているという事だ。

空座町の人々に対して害のあるものならば見過ごすわけにはいかない。

ヒーローを自称し、また、そう在《あ》ろうとし続ける観音寺にとって、その不気味な感覚を『無かった事にする』という選択肢《せんたくし》は存在しなかった。


結果として――彼は辿り着く。

『糸』と『糸』の間隔が狭《せば》まり、蜘蛛の巣の中心だと思《おぼ》しき場所へと。

彼はその場所の近くに愛車を停《と》め――頬《ほお》に冷や汗を掻《か》きながら呟《つぶや》いた。

「むう……これはまた、随分《ずいぶん》とアンビリーバブルな展開になったものだ」

そこは、彼にとって見覚えのある場所。

忘れられない後悔《こうかい》と同時に、果てなき歓《よろこ》びに出会えた廃屋《はいおく》。

償《つぐな》い切れぬ自分の過《あやま》ちを知った場所であり、それでも自分の事を英雄と呼んでくれた戦友《とも》と出会った場所でもある――前回のロケの舞台となった廃病院を見上げつつ、観音寺は頬に冷たい汗を垂《た》らす。

「これは単なる偶然か、それとも私を窮地《きゅうち》に追いやるデンジャラスビューティなトラップか……。だが、どんな結末が待っていようと、私は運命から逃げるわけにはいかんのだ！」

独《ひと》り言《ごと》で決意表明をする観音寺だが、その姿を見て憧れを抱く者も滑稽《こっけい》と笑う者も存在せず、ただ、春先とは思えない冷たさの風だけが彼の周囲にまとわりついていた。

松倉《まつくら》病院という看板が取《と》り外《はず》され、名前すら失った鉄筋コンクリートの遺跡。

『糸』は、確かにこの廃墟《はいきょ》を中心として、放射状に街中《まちじゅう》に広がっている。

それが観音寺の感覚が出した結論だ。

ロケの時は祭りのように人が溢《あふ》れていた空間だが、現在は観音寺以外の姿は誰一人として見あたらず、廃墟の中を通り抜ける風が悲鳴のように不気味な音を響《ひび》かせていた。

廃墟そのものが泣いているかのような声を聞きつつ、観音寺は意を決して門を乗り越え、病院の中に足を踏み入れる。

当時と何も変わっていない。

夜と昼では印象がかなり違うものの、虚《ホロウ》に破壊された入口も、所々に残る爪痕《つめあと》も当時のままだ。

『糸』そのものを視認する事はできないが、それが密集していく先は、おそらく屋上だろうと推測できる。

階段を一歩一歩踏みしめ、愛用のステッキを握《にぎ》りしめながら進む観音寺。

屋上の扉が見えた瞬間、緊張に大きく息を呑《の》む。

思い出すのは、1年程《ほど》前——一護の友人達を襲《おそ》っていた謎の男に相対《あいたい》した時の事だ。

あの時ほどの絶望的な危機感は覚えないものの、扉の向こうに得体《えたい》の知れない気配があるのは感じ取れる。

全長20メートルを超《こ》す巨大な蜘蛛の化け物がいる事を想定して緊張が強まるが、やはり観音寺に引き返すという選択肢はない。それどころか、考える事すらしなかった。

『逃げる』の代わりに『私がなんとかせねば』という決意が浮かぶ観音寺が緊張しながら考えていたのは、『人質に取られている人間がいないかどうか』だけだった。

鬼が出るか蛇《じゃ》が出るか。

どちらが出ても、やる事は変わらない。

意を決してドアノブを掴《つか》み、観音寺はそっと屋上の様子を覗《のぞ》き見《み》た。

だが、そこにいたのは鬼でも蛇でも、ましてや巨大な蜘蛛の化け物でもなく――

顔の右半分を髑髏で覆《おお》った娘が、寂《さび》しげな目で町を見渡す姿だった。

彼女の顔を見て、観音寺は一瞬驚きの表情を浮かべた。

幽霊のようにも見えるし、生きた人間のようにも見える。

浮遊霊などのように、風に吹き飛ばされてしまいそうな不安定さは感じない。さりとて、地《じ》縛《ばく》霊とも様子が違う。

敢《あ》えて言うならば、虚《ホロウ》によく似た雰囲気なのだが——恐らく、彼女の姿は一般人の目にも映《うつ》るだろうと確信できた。

髑髏面の娘は、霊子《れいし》と現世の物質の両方の性質を併《あわ》せ持《も》っているとしか考えられない。

それは明らかに異常な事であり、一般人や霊能者、死神ですら暫《しば》し混乱するであろう存在と言えた。

だが——

「ボハハハハハーッ！」

次の瞬間、ドン・観音寺は勢いよく扉を開《あ》け放《はな》ち、自《みずか》らの決《き》め台詞《ぜりふ》を高々と唱《うた》いあげた。

「スピリッツ・アー・ウォオオオオ——ルウェイッ！　ウィズ・イィイイイユゥウウウウウウウウッ！」

「……ッ!?」

その声を聞き、髑髏面の女性はビクリと身体を震《ふる》わせ、観音寺の方に向き直る。

異様な格好で決めポーズを取っている観音寺の姿を見て、彼女は更《さら》に目を丸くした。

だが、そんな事は気にせず、カリスマヒーローはツカツカと娘に歩《あゆ》み寄《よ》る。

外見で判断するならば、歳《とし》は十代後半から二十歳といった所だろうか。

顔の髑髏面は確かに異様なのだが、その他にはこれといって派手な特徴はなく、薄手のセーターとワンピースを組み合わせたような服を纏《まと》っているだけだ。

肩まで掛かるか掛からないかといった黒髪と白い髑髏面の間から覗く顔立ちは、地味ではあるが清楚《せいそ》な空気を醸《かも》し出《だ》しており、世間的には美人と呼ばれる部類に入るだろう。

どことなく浦原商店の雨《ウルル》にも似た二重《ふたえ》まぶたを精一杯開き、彼女は突然屋上に現れた観音寺を見つめている。

──はて、人が騒げばすぐに消える、と聞いていたが。

──なるほど！　さては私のファンか！

観音寺は自分にとって最大限に都合《つごう》の良い解釈をし、混乱している女性に遠慮なく近づき、その手を優しく握《にぎ》りしめる。

「やあ、美しいレディ。安心したまえ。私は君の味方だ」

「………？」

首を傾《かし》げる女の手から伝わる霊圧が、やはり虚《ホロウ》に近いと感じつつも──ドン・観音寺は、迷うことなく自分のすべき事を貫《つらぬ》いた。

「悲しい顔のわけを、このドン・観音寺に話してはくれないかね？」

こうして、彼は踏みこんだ。

とある破面《アランカル》の人生に、確かに一歩踏みこんだのである。

自分が立ち入った場所が、尋常《じんじょう》ならざる災禍《さいか》の中だと気づかぬまま。

髑髏面の女と縁《えにし》を結ぶ事が、子供姿の破面《アランカル》百人と遊ぶよりも遥《はる》かに危険な行為だという事も知らぬまま――


英雄は、試練への道を静かに歩み始めた。

八章

尸魂界《ソウル・ソサエティ》　瀞霊廷《せいれいてい》内繁華《はんか》街《がい》『眼鏡《めがね》の銀蜻蛉《ぎんとんぼ》』前

破面《アランカル》の襲撃《しゅうげき》から半日が経過した尸魂界《ソウル・ソサエティ》。

瀞霊廷の周囲に出没していた破面《アランカル》達の気配は徐々に消え去り、現在は何事もなかったかのように静かな時が訪れていた。

技術開発局を襲撃した旅禍《りょか》についても、その後目撃報告はなく、つい先刻、警戒レベルが一段階下げられた所である。

技術開発局や重要拠点《きょてん》の周辺については最重要警戒態勢が続けられていたが、その他の区画については住居内待機勧告が発せられており、禁則事項ではないものの、一般人は外出を極力控《ひか》えるようにという空気になっている。

実際、瀞霊廷内の商店街を歩く一般人の姿は殆《ほとん》ど見られず、そもそも多くの店が臨時休業となっている状態だ。

そんな中でもしっかりと店を開けている眼鏡店『銀蜻蛉』の中に、一目《ひとめ》で貴族と解《わか》る服を纏《まと》った可憐《かれん》な少女が顔を覗《のぞ》かせた。

「あのう、すいません」

少女の呼びかけに、店の奥から老齢の店主——元六番隊副隊長、銀 銀次郎《しろがねぎんじろう》が顔を出す。依願除隊という名目で事実上引退している身の上の老爺《ろうや》は、少女の顔を見て驚いたように声をあげた。

「おやおや、希ノ進《まれのしん》の坊主《ぼうず》のお嬢ちゃんじゃな？　警戒度が下がったとはいえ、こんな時に外に出るのは感心せんぞ」

咎《とが》めるというよりも心配する声で言う銀次郎に、少女——名門貴族『大前田家《おおまえだ》』の末子《まっし》である大前田希代《まれよ》は、ペコリと頭を下げながら口を開く。

「ごめんなさい！　私も危ないっていうのは解っていたんですけれど……注文していた眼鏡を、どうしても今日受け取らないといけなくって」

「ん？　おお、おお、美羽《みはね》から聞いとるよ。お前さんの兄貴にぴったり合うような眼鏡じゃったな。美羽は今、廷内の警戒に出とるが……モノはもう出来とるよ」

六番隊第九席にして銀蜻蛉の副店主でもある孫の名前を出し、銀次郎は勘定台《かんじょうだい》の上にある帳簿《ちょうぼ》を捲《めく》っていった。

「希千代《まれちよ》君じゃなく、希次郎三郎《まれじろうさぶろう》君の方じゃったな。あの若さで既《すで》に技術開発局から声がかかっていると聞くが、いやいや、大したものよ」

「ありがとうございます！　そう言って頂けると、お兄様も喜ぶと思います！」

「大前田家は隠密機動《おんみつきどう》の素養《そよう》がある者が多いんじゃがなあ。そういえば、お嬢ちゃんも、将来は死神を目指《めざ》すのかね？」

厳戒《げんかい》態勢のせいで他の客がいないせいか、帳簿を調べながら世間話を続ける銀次郎。希代はそれを欠片《かけら》も不快に思わず、穏《おだ》やかな笑顔を浮かべて頷《うなず》いた。

「はい、私は四番隊を目指しています！」

「おや、君も隠密機動には入らんのかね？」

「私には、お父様やお兄様のように闘《たたか》う事はできません。でも、せめて皆さんの傷を癒《いや》せればって思って……。だけど、救護《きゅうご》隊はそんなに甘いものじゃないぞって、父様達には止められているんです」

「そうかいそうかい、なるほどのう。まあ、確かに四番隊も戦闘訓練は受けにゃならんからなあ。中には花太郎《はなたろう》君のような、喧嘩《けんか》が全《まった》くできん例外もおるが……」

恐らく、希代の家族は彼女を大事に思うがゆえに、危険を伴《ともな》う死神にはさせたくないのだろう。銀次郎はそう考えたが、敢《あ》えて口には出さなかった。

少し寂《さび》しそうな顔をした少女を安心させるかのように、老店主は優しく微笑《ほほえ》む。

「じゃが、まあ、お嬢ちゃんならどんな道でも上手《うま》くやっていけるじゃろ。……さて、帳簿には贈り物の包装希望とあるのう。誕生日のプレゼントといったところかの?」

「はい! 明日、希次郎三郎お兄様の誕生日なんです!」

「なら、綺麗《きれい》に包まんとな。……おや、美羽の奴《やつ》め。包装紙が切れとるじゃないか」

そして、銀次郎は店の奥へと足を向ける。

「奥の倉庫を探してくるから、少し待っていておくれ。外は旅禍が出るかもしれんから、そこの椅子《いす》にでも座っとりんさい」

「あ……はい! ありがとうございます!」


銀次郎が店の奥に消えてから、一分程《ほど》経過した後——

礼儀正しく座って店主を待つ希代の視界の中を、白い影が過《よ》ぎった。

一瞬、町を騒がせている旅禍なのではないかと驚いたが、その影の纏う羽織《はおり》を見て希代は安心した。

白い影のように見えたのは、その人物が纏っていた白羽織だったからだ。

希代は、それがこの瀞霊廷内で何よりも頼りになる存在——護廷《ごてい》十三隊の隊長だけが纏うことを許された、特別製の白羽織だと知っている。

ただし、十三隊の人事について詳《くわ》しくない少女では、気づけない事もあった。

彼女は知らなかったのだ。

現時点の護廷十三隊に、その男は存在しない事になっているという事を。

そして、その男は、本来【無間《むけん》】に投獄《とうごく》されている筈《はず》の存在だという事も。


「…………」

隊長羽織を纏う男は、無言のまま店の勘定台に近づき、手にした布袋を台上に置いた。

ジャラリ、という音がしたことから、中には金子《きんす》が入っていると想像できる。

希代はどうして良いのか解らなかったが、そのまま袋を置いて身を翻《ひるがえ》した男を見て、慌《あわ》てて声をかけてしまった。

「あ、あの！　店長さん、私の買い物の包装紙を取りに裏に行ってて……もうすぐ戻ってくると思います！」

余計な口出しだったらどうしようと思っていた希代だったが——

男は彼女の方をじっと見て、無表情のまま口を開いた。

「大前田希代、だな」

「え？　あ……は、はい！」

冷気を感じさせる声でこちらの名前を呼ぶ男に、希代は思わず椅子から立ち上がった。

こちらの名前を知っているという事は、二番隊副隊長である兄の知り合いだろうか？

だとするならば、キチンと挨拶《あいさつ》をしておかなければと思った矢先、男は僅《わず》かに目に不快の色を浮かべながら呟《つぶや》いた。

「無駄メシ喰らいの大前田家の中では、君が一番マシな存在だな」

「……え？」

何を言われているのか一瞬解らなかった希代に、男は更《さら》に口を開く。

嘲《あざけ》るわけでも挑発するわけでもなく、冷たい声で淡々《たんたん》と彼女に『忠告』を始めた。

「人生を無駄にしたくなければ、すぐにでもあの家から出る事だ。君の父親や兄に関《かか》わり続ける事は、君にとって大きな損失となるだろう」

≒

数分後　瀞霊廷某所《せいれいていぼうしょ》

「ったく、こっちは徹夜だってのに、結局旅禍《りょか》は消えちまったまんまじゃねえか」

油煎餅《あぶらせんべい》をボリボリとかじりながら、二番隊副隊長である大前田《おおまえだ》日光太郎右衛門《にっこうたろうえもん》美菖蒲介《よしあやめのすけ》希千代《まれちよ》が愚痴《ぐち》をこぼす。

彼は警報が鳴《な》り響《ひび》いて以来、実に半日ぶりの休憩を取っていた。

副隊長であると同時に隠密機動《おんみつきどう》第二分隊『警邏隊《けいらたい》』の隊長でもある大前田は、警戒レベルが下がるまで通常通りの休憩を取ることは許されなかったのだ。

休憩中とはいっても持ち場からは離れられず、近くにあった椅子《いす》に巨体をでんと座らせ、それが仕事であるかのように油煎餅をかじり続ける大前田。

そんな彼の伝令神機《でんれいしんき》に、私用回線で通達が入る。

護廷《ごてい》十三隊の備品ではなく、彼が副業で経営している貴金属工場用の伝令神機の方だ。

画面を見ると、商店街にある販売店の店長からだった。

「馬鹿野郎！　こっちが本業やってる間は、トラブルはそっちで解決しとけっつってんだろうが！」

通話を受けるなり、部下に対して叱責《しっせき》する大前田。

だが、その部下は緊張した声で大前田に報告を始めた。

『それが、大前田社長、仕事ではなく、社長絡《がら》みの報告がございまして……』

「あぁ？　なんだってんだ？」

『社長の御令妹《ごれいまい》の、希代様《まれよ》が商店街にいらしているのですが……』

「⁉」

——おいおいおい、なんでこの危ねー時に希代が外に出てんだよ⁉

大前田にとっては、その報告だけでも十分に驚く内容だったのだが——販売店の店長は、更《さら》に言葉を紡《つむ》ぎ出《だ》した。

『眼鏡《めがね》屋の【銀蜻蛉《ぎんとんぼ》】の前で、十ヽヽヽヽヽヽヽヽヽ一番隊の隊長羽織を着た方と、何やら揉《も》めておられまして……。……社長？　しゃ、社長？』

「如何《いかが》なさいました、副隊長⁉」

伝令神機からの声も、二番隊の部下の問いかけも、既《すで》に大前田の耳には届いていない。

彼は隠密機動本来の速度を隠しもせず、一陣《いちじん》の風となって瀞霊廷の中を駆け抜ける。

——待てよ待て待て待て、何で希代の奴《やつ》が更木《ざらき》隊長と揉めてんだよ⁉

頭の中に浮かぶのは、更木剣八《けんぱち》に頭からバリバリと喰《く》われる妹の姿。

如何《いか》に土下座すれば更木剣八の機嫌《きげん》をとれるかと想像し、数秒で『無理だ』という結論が導《みちび》き出《だ》される。

大前田の武器である権力も、相手の方が格上の為《ため》に通じない。

更木剣八は大前田の中で『庶民《しょみん》』でも『貴族』でもなく『化け物』として分類されている為、金で解決できない相手という事も理解している。

剣八の機嫌を取れるのは、純粋に『強い者との斬《き》り合《あ》い』だけだ。

ならば、自分が更木と斬り合うか？

想像した瞬間に、真っ二つになっている自分の姿が脳裏《のうり》に浮かび――大前田は顔を真っ青にしながら大地を蹴《け》る。

絶望しかない状況の中で、それでも、彼は確かに家族の為に走り続けた。

≑

銀蜻蛉《ぎんとんぼ》前

「きっと、何か誤解なさっているんだと思います……。お父様もお兄様も、尸魂界《ソウル・ソサエティ》の為《ため》に身を粉《こ》にして働いていています。無駄《むだ》メシ喰《ぐ》らいなどではありません！　その誹《そし》りを受けるのは、何もできずにただ庇護《ひご》されている私の方です！」

言いたい事だけ言って立ち去ろうとした隊長羽織《ばおり》の男を外まで追いかけ、『あの、私の家族が、貴方《あなた》に何か失礼な事をしてしまったのでしょうか』と尋《たず》ねたのが、この押し問答の始まりだった。

隊長羽織の男が『直接的な害を受けた記憶はない』と返した事で、大事に思う家族を嘲《あざけ》られた少女は、『この隊長さんは、きっと何か大きな勘違《かんちが》いをしているに違いない』と、少女なりの勇気を振《ふ》り絞《しぼ》って彼に言葉を投げかけ続けたのである。

だが、男の方は全《まった》く感情を動かした様子は無く、

「家族を侮辱《ぶじょく》された事で不快に思ったのならば謝罪しよう。だが、私に先刻の言葉を訂正《ていせい》させる事が目的ならば、無駄な行為だと忠告する」

と、淡々《たんたん》と少女に言い聞かせる。

「彼らは、無駄メシ喰らいだ。恐らくは君以上に彼らを知っている私が出した結論だ。家族の情という無駄な色眼鏡《いろめがね》を通した君の意見に、私が持論を変える必要を感じない」

「そんな……！」

「君は善人だ。それは解《わか》る。しかし、善であるからこそ純粋ではない。愛だの正義だのと、世間では美徳とされる感情は、私にとっては強欲《ごうよく》や憎しみと等しく無駄なものだ」

何を言っているのか解らないという目でこちらを見つめてくる少女に、冷ややかな視線

を送りながら呟《つぶや》いた。

「君のような人間とは、意見が平行線となるのは理解している。だから、これ以上無駄な議論をするつもりはない」

男は、道の先を見ながら奇妙な事を口にする。

「私が肯定《こうてい》できるのは、君が家族を愛するように、君も愛されているという事実だけだ」

「？」

そして、次の瞬間――

まるでそこから現れる事が解っていたかのように、隊長羽織の男の視線の先に、副隊長の腕章《わんしょう》をつけた大男が姿を見せた。

「お兄様⁉」

「バカ野郎！　お前、なんでこんなとこで更木《ざらき》隊長と……揉《も》めて……。……？」

大きくつんのめった後、転がるように妹と隊長羽織の男の間に割りこんだ大前田《おおまえだ》だったが――

十一番隊の隊長羽織を着る男は、大前田にとって全く見覚えのない存在だった。

「……だ、誰だてめぇ？」

見ると、警戒中だというのに斬魄刀《ざんぱくとう》すら手にしていない。

顔つきだけを見ると、気だるげな貴族のボンボンのようにしか見えない男を見て、大前田は訝《いぶか》しんだ。

「お、おうおう！　手前《てめえ》、隊長でもねえのにそれを着るのは重罪だって知らねえのか！」

少なくとも十一番隊の隊長が交代するなど聞いていないし、『更木が誰かに斬《き》られた』という可能性は限りなく薄い。

よって大前田は、ニセの隊長羽織を纏《まと》う、貴族の遊びか何かだと判断したのだが——

「もちろん知っているよ。二番隊副隊長、大前田日光《にっこう》太郎《たろう》右衛門《うえもん》美菖蒲介《よしあやめのすけ》希千代《まれちよ》」

「なッ……」

自分のフルネームをあっさりと呼ばれた事に動揺しつつ、大前田は相手に呑《の》まれまいと更《さら》に威圧《いあつ》的に口を開いた。

「て、手前！　オレ様の名前を呼び捨てにするたぁいい度胸だ！　いいか、この……」

「すまないが、これ以上君と会話をするのは無駄だと判断する」

「あぁん!?　手前、このオレ様を舐《な》めてんのか!?」

そのまま、相手の胸ぐらを摑《つか》み上《あ》げようとした大前田だったが——

次の瞬間、自分の身体《からだ》が宙を舞っている事に気がついた。

「……あ？」

声をあげた時は既《すで》に遅く、背中に強い衝撃《しょうげき》が走る。

兄の身体が突然、見えない何かに摑まれるように宙に舞い上がり、そのまま地面に叩《たた》き落《お》とされたのだ。

「お兄様！」

希代《まれよ》が悲鳴をあげるが、側《そば》で見ていた彼女にも、何が起こったのかは解らなかった。

合気道《あいきどう》などに見られるような、相手の力を利用した投げ落とし——という雰囲気でもなく、隊長羽織の男は、ピクリとも動いてはいなかった。

だが、自分がやった、という事を証明するかのように、無表情のまま大前田に告《つ》げる。

「無駄な争いは好まないのでね。今ので、実力差を感じてくれると助かるのだが」

その言葉を聞きながら、大前田は自分の背中に冷たい汗が滲《にじ》むのを感じ取っていた。

——やべぇ。

——なにがなんだかサッパリだ。だけど、やべぇ。なんかやべぇぞ、これ。

——鬼道《きどう》を使ったようにも見えねえし、斬魄刀の霊圧《れいあつ》も感じねえってどういう事だよ。

藍染《あいぜん》やバラガンのような『圧倒的な力』に相対《あいたい》した時とは違う、『得体《えたい》の知れぬ何か』に支配されているという感覚に、大前田は純粋に恐怖する。

だが、その恐怖を押し殺し、ゆっくりと立ち上がる。

今のやりとりで、一つ確定した事がある。

目の前の男は、やはり隊長ではない。万が一、彼が本当に更木の代わりとして就任したというのならば、それを直《じか》に説明した方が遥《はる》かに早かった筈《はず》だ。

それをせずに攻撃してきた時点で、彼が技《わざ》だけでなく、存在そのものが『得体の知れない何か』であると断じる事ができる。

「さては、手前が旅禍《りょか》だな、この野郎……」

「否定はするが、あまり意味はないな。旅禍に非《あら》ずとも、君の敵には相違《そうい》ない」

「あぁ？　わッ……わわ、わっけわっかんねぇこと言っててんじゃねえぞコラ！」

強気な言葉を吐《は》き出《だ》すが、大前田の唇《くちびる》は震えている。

勝てない。

恐らく、自分はこの男に勝てない。

大前田の身体を構成する霊子《れいし》が、一斉《いっせい》に警報をかき鳴らす。

しかし、彼は腰の斬魄刀を抜きながら、小声で背後の希代に告げた。

「……希代、お前は早く逃げろ」

「！」

「こっからは、お前の兄貴としてじゃねえ。二番隊副隊長の仕事だ」

息を荒らげ、心の中では『逃げろ』と連呼しつつも踏みとどまったのは、果たして矜持《きょうじ》か、家族への想いが成《な》せる業《わざ》か。

自分自身でも解らぬまま、彼は妹に対して言葉の続きを吐き出した。

「庶民《しょみん》だろうが貴族だろうが、他人を巻きこんででも敵を仕留《しと》めるのが、俺らのやり方だ。おめーに気を遣《つか》うつもりなんざねえから、とっとと逃げろっつってんだよ！」

「……お兄様」

自分はここにいてはならないと理解しつつも、最後に何か言おうと、希代が口を開いた瞬間——

「縛道《ばくどう》の六十三……『鎖条鎖縛《さじょうさばく》』！」

と、第三者の声が商店街に響《ひび》き渡《わた》った。

刹那《せつな》、空中に出現した霊子の鎖《くさり》が隊長羽織の男へと襲《おそ》いかかり、生きた蛇《へび》のように相手の全身を幾重《いくえ》にも締《し》めつける。

「⁉」

大前田達が声の方に振り返ると、そこには『銀蜻蛉』の店主——銀次郎《ぎんじろう》が立っており、厳しい顔つきで縛道の構《かま》えを取っていた。

先刻までとは全く違う空気を纏う銀次郎を見て、希代は思わず息を呑《の》み——ここが、既に戦場《いくさば》となっている事を理解する。

だが、本当に大前田兄妹《きょうだい》が驚いたのは、その次の瞬間だった。


緊迫《きんぱく》した現場に、旋風を伴《ともな》って、更に一人の男が現れたのだ。

先刻の大前田を上回る速度で、縛道に囚《とら》われた隊長羽織の男の背後にその身を滑《すべ》りこませたのは——およそ登場の仕方に似合わない、厳《いか》つい顔と体格をした中年男性。

茶色に染《そ》めた髪をパーマリーゼントの形に整《ととの》え、紫《むらさき》レンズのサングラスと金むくのネックレスを身につけている。

その他の服装など含《ふく》めて、どこをどう見ても『ならず者』という単語が似合う男の登場に——大前田兄妹は、銀次郎の縛道を見た時と全く違う理由で驚愕《きょうがく》した。

「ぱっ……ぱ、ぱぱぱぱ、パパ上《うえ》ぇ!?」

「お父様!」

更に、二人の混乱は続く。

突然現れた自分達の父親――大前田希ノ進《まれのしん》が、普段見せた事の無い表情で隊長羽織の男を睨《にら》みつけ、高速で縛道の手陣《しゅじん》を切り始めたからだ。

「鉄砂《てつさ》の壁　僧形《そうぎょう》の塔《とう》　灼鉄《しゃくてつ》熒熒《けいけい》　湛然《たんぜん》として終《つい》に音無し！　縛道の七十五、『五柱鉄貫《ごちゅうてっかん》』！」

詠唱《えいしょう》の終了と共に地面に腕を叩《たた》きつけると、地面が五箇所《かしょ》割れ砕《くだ》け、隊長羽織の男の真上に光り輝く紋章《もんしょう》が浮かび上がる。そこから地面に向けて五本の光柱《こうちゅう》が延び、男の身体を突き刺すような形で全身の動きを封じこめた。

それに合わせるかのように、銀次郎が詠唱破棄《はき》で縛道の六十一、『六杖光牢《りくじょうこうろう》』を放《はな》ち、男の身体を更に鬼道で締《し》めつける。

三重の封印が成されたのを確認した所で、希ノ進は大地についた手を前に差し出し、短く、そして力ある言葉を吐き出した。

「……縛道の八十一、『断空《だんくう》』！」

それは、単なる詠唱破棄の縛道ではなかった。

ただでさえ扱《あつか》いが難しい八十番台の鬼道《きどう》を、己《おのれ》の霊圧《れいあつ》を複雑に編《あ》みこむ事で、都合六回詠唱したのと同じ効果を発揮させる。

八十九番以下の破道を完全に防ぐ、特殊な壁を生み出す縛道、『断空』。その壁を六枚生み出す事で、希ノ進は隊長羽織の男の周《まわ》りに立方体の結界《けっかい》を造《つく》り出《だ》したのだ。

本来は防御に使う『断空』を、疑似重唱《ぎじじゅうしょう》という形で封印に使うという裏技。完全詠唱にしなかったのは、威力《いりょく》を抑《おさ》える事で発動した壁をコントロールしやすくする為だろう。

通常では考えられない技術を繰《く》り出《だ》した父親を前に、大前田希千代は双眸《そうぼう》を丸くした。

「す、すげぇ……」

「おう、お前達、無事か！」

「どうしてお父様がこちらに⁉」

「家にいたら、会社の部下から連絡があってなあ」

希ノ進の経営する不動産屋の支店も、この銀蜻蛉と同じ通りにある。

どうやら、希千代と似たような経緯《けいい》でここに駆けつけたらしい。

緊張した面持《おもも》ちで呟く父親だが、まだ視線は隊長羽織の男に向けられたままだ。

銀次郎も構えを解《と》いておらず、状況に合わせて次の鬼道詠唱に入れる体勢を取っている。

彼らは既に死神ではない。依願除籍という形で護廷《ごてい》十三隊から退《しりぞ》いている身だ。

引退と同時に斬魄刀は瀞霊廷に預けられ、その後は闘いとは無縁な人生を送っている。

だが、斬魄刀はなくとも、彼らは元副隊長だ。

鬼道だけでも、並の死神達を遥かに上回る力を持ち合わせていたのである。

そんな二人の元死神が紡《つむ》ぐ、圧倒的な縛道攻勢を受けた隊長羽織の男は――

無表情のまま希ノ進と銀次郎に目を向け、透《す》き通《とお》るような声を響かせた。

「君達が……何故《なぜ》こんな真似《まね》をするのか、理解に苦しむ」

全く不安も焦燥《しょうそう》も感じていないという声を聞き、希ノ進が忌々《いまいま》しげに答える。

「巫山戯《ふざけ》ちゃあいけねえな。銀爺《ぎんじい》はともかく、俺は元隠密機動《おんみつきどう》なんだぞ？」

「ほう？」

「あと一万九〇〇〇年は【無間《むけん》】にいる筈《はず》の男が、こんな所で大事な娘とお喋《しゃべ》りしてるって聞きゃ、そりゃまあ、こうするしかねえだろうよ」

【無間】という単語を聞いて、希千代は自分の後頭部が緊張するのを感じ取る。

獄舎《ごくしゃ》まわりを統率《とうそつ》する檻理《かんり》隊も隠密機動の一部であり、【無間】が何を意味するかは当然理解している。

——ちょ、待てよ。

——じゃあ、なんだ？　こいつ、【無間】から脱獄してきたってのかよ⁉

自分も瀞霊廷の地下監獄については最低限の知識は持っている。藍染を封印した時にも再度確認しているが、【無間】から脱出することは、咎人《とがにん》が地獄から抜け出すよりも遥かに難しいと断言できる。

——こ、こいつ、一体何者なんだよ⁉

焦《あせ》る希千代の視線の先で、隊長羽織の男は小さく溜息《ためいき》を吐《は》き出した。

「言葉が足《た》りなかったようだ」

そして、次の瞬間――

彼を封じていた四重の縛道が、空気中に溶けこむかのように一瞬で消え失せる。

周囲を驚かせる間もなく自由の身になった男は、やはり無表情のまま、唇を噛《か》む希ノ進達に言葉の続きを言《い》い放《はな》った。

「何故《なにゆえ》、君達は私に通じぬと解っている攻撃を行うのか、と訊《き》いたのだが……」

≑

西流魂街某所《にしルコンがいぼうしょ》

「ちぇッ。いないなー」

そんな事を呟《つぶや》きながら、ピカロの一人が西流魂街を駆《か》け巡《めぐ》る。

幼い少年の姿をした破面《アランカル》は、既《すで》に退屈を覚え始めていたのだが――

視界の端に、奇妙なものが映《うつ》る。

「なんだろ、あれ」

それは、地面から生《は》える巨大な二本の腕だった。

門のようにそびえ立つ腕の間には『志波空鶴《しばくうかく》』と書かれた横断幕が張られていたのだが、ピカロにはその意味が解《わか》らず、ただただ巨大な腕のオブジェに圧倒される。

「なにこれ！　かっこいい！」

巨大な腕の奥にある煙突付きの家屋に興味を持ち、その場に止まって暫《しば》し周囲を見渡し続けた。

面白《おもしろ》そうな家だと目を輝かせ、他のピカロ達を呼ぼうとした瞬間——

そんな少年に、声がかかる。

「ほう、この門が気にいったか、小童《こわっぱ》」

「えッ？」

振り返ると、そこには一人の女性が立っていた。

褐色《かっしょく》の肌《はだ》に美しい黒髪を携《たずさ》えたその女は、不敵な笑《え》みと共に口を開く。

「空鶴の花火で御主《おぬし》らを誘《おび》き寄《よ》せようと思うたが、まさか先に居《お》るとは思わなんだ」

そして、門を見上げながら更《さら》に言葉を続けた。

「ふむ、空鶴の奴《やつ》のセンスは破面《アランカル》にも通じるという事じゃのう。流石《さすが》といった所か」

「お姉さん、誰？　遊んでくれるの？」

目を輝かせて笑う少年に、女――四楓院夜一《しほういんよるいち》は楽しそうに目を細めて答える。

「そうじゃのう。条件を呑《の》むなら、儂《わし》が鬼事《おにごと》で遊んでやってもよいぞ？」

「鬼ごっこ⁉　やるやる！　条件ってなあに？」

人間の子供と全《まった》く同じように、無邪気《むじゃき》に喜ぶ破面《アランカル》の少年に対し――

夜一もまた、子供っぽさを残した底意地の悪い笑みを浮かべてみせた。


「儂らの鬼から始めさせてもらうぞ、小童」


「ら？」

複数形になった事に疑問を覚えた直後――少年は、自分の周《まわ》りに別の気配がある事に気がついた。

そして――

二

銀蜻蛉《ぎんとんぼ》前

縛道《ばくどう》を消し去った後、周囲の面々に更《さら》に何か言おうとする隊長羽織《ばおり》の男。

だが、背後から腕に絡《から》みつく柔《やわ》らかい感触に気づき、言葉を止めて眉間《みけん》に皺《しわ》を寄せる。

視線を横に向けると、そこには白い振袖《ふりそで》を艶《なま》めかしく纏《まと》う、目隠し女の姿があった。

「キヒ、キヒヒ！　ねぇねぇ。なんで？　無駄話《むだばなし》が嫌いなアンタがさ、なんであの女の子の話にダラダラと付き合ったの？　好みだったから？　興奮しちゃったから？　お茶にでも誘おうと思ったのかな？　私というものがありながら浮気者だよねぇ！　キハハハ！」

「……無駄な問いかけをするな」

小声で呟《つぶや》く男に、女は意地の悪い笑《え》みを口元に浮かべる。

「アレレレ、バレちゃった！　バレちゃったよ！　キヒ、キハッ！　キヒハハハ！　はーい、その通りだよ！　無駄な問いかけしちゃったよねぇ、私！　解《わか》ってるよ解ってる！　解ってて聞いたよ、なんであの可愛《かわい》い子と、あんなに長く剣《けん》の字《じ》が無駄なお話したのか！」

「……黙れ」

「思い出しちゃったんだよね！　似てるもんねー！　この箱入り娘ちゃん。絶対あの子と同じタイプだよね！　だから、少し気にかけちゃったんでしょ？　心配だったんでしょ？

『この子』が、『あの子』と同じにならないかってさぁ！」

「黙れと言っている！」

僅《わず》かに強い口調で応《こた》えた男に、女はキハハハと笑いながら離れていく。

そして、それを確認した直後——

女と入れ替わるように、男は、現場に鋭い霊圧《れいあつ》を持った者が近づいてくるのを『視《み》た』。

それを確認した後、彼は銀蜻蛉の店主に向き直り、何事も無かったかのように告《つ》げた。

「さて、私の用件は既《すで》に済《す》んでいる。二五〇年前……君の家族への慰謝料は利子もこめて勘定台《かんじょうだい》の上に置いておいた。受け取ってくれると助かる」

「…………」

思い当たる事があるのか、眉間に僅かに皺を寄せる銀次郎《ぎんじろう》。

だが、隊長羽織の男はそれ以上何も説明する事なく、淡々《たんたん》と周囲の面子《めんつ》に言《い》い放《はな》った。

「では、私はそろそろ遑《いとま》を告げるとしよう」

「なッ……ちょ、ちょっと待ちやがれ！」

慌《あわ》てて引《ひ》き留《と》めようとする希千代《まれちよ》だが、男は振り向くことすらせず――己《おのれ》の身を空気に溶《と》けこませ、霧のように拡散して消えていく。

「あ、お、おいコラぁ！　にッ……逃げてんじゃねえぞテメェ！」

内心でホッとしつつも、強い言葉を投げかける希千代。だが、彼の言葉をぶつけるべき相手は、もはや薄いモヤのように風に吹き散らされ――後には、緊張感を残したまま息をつく三人の大人と、どうしてよいのか解らず周囲を見回し続ける少女だけが残された。


そして、男の姿が掻《か》き消《き》えたのと入れ替わる形で、現場に一人の女性が現れる。

恐らく瞬歩《しゅんぽ》を使用したのだろう。瞬間移動したかのように現れた細身の女性は、大前田《おおまえだ》を睨《にら》みつけて冷ややかな言葉を吐《は》き出《だ》した。

「大前田……貴様、警邏《けいら》隊の持ち場を離れて何をしている？」

「たッ……たたたた、隊長⁉」

砕蜂《ソイフォン》。

二番隊隊長にして隠密機動《おんみつきどう》の総司令でもある上司の登場に、大前田は自分が持ち場を許可なく離れていた事を思い出す。

恐らくは、引き留めようとしていた部下達がどうしてよいのか解らず、巡回していた砕蜂に報告したのだろう。

――ややや、やべえ、なんか言《い》い訳《わけ》考えねえと。

――ま、待てよ、結果として怪《あや》しい奴《やつ》はいたんだし、正直に言えばいいんじゃねえか？

――あとは、どんな言い方をするかが重要だぜ……考えろオレ！

一瞬にして頭の中に様々な詭弁《きべん》を渦巻《うずま》かせる大前田だったが――

父親の希ノ進《まれのしん》の言葉が、その回転を止める事になる。

「何をしてるか、ってのはこっちの台詞《せりふ》だろうがよ。砕蜂隊長殿《どの》」

「……ッ！　希ノ進……殿……！」

大前田の背後から現れた悪漢風の男を見て、砕蜂の顔が僅かに曇《くも》る。

――あ、そうか。

――昔は砕蜂隊長って、パパ上《うえ》の部下だったんだよな。

目を瞬《しばたた》かせる希千代を余所《よそ》に、希ノ進は厳しい顔つきでかつての部下に告げる。

「その様子じゃ、ここに誰がいたかって事に気づいていないらしいなあ、現総司令官殿」

「………？」

自分の上司という立場のまま引退した男の言葉に対し、砕蜂は訝《いぶか》しげに目を細める。

「痣城剣八《あざしろけんぱち》が、つい数秒前までここにいた、っつってんだよ」

「なッ……！」

痣城剣八。

その名前が出た瞬間、砕蜂の顔色が露骨《ろこつ》に変わる。

「檻理隊《かんり》は隠密機動の最重要部隊っつっても過言じゃねえ。その総司令が、囚人に脱獄されてる事にも気づいてねえってのは恥以外の何ものでもねえよ。藍染《あいぜん》や他の連中も脱獄してるってことになりゃ、それこそ尸　魂　界《ソウル・ソサエティ》は終わりだぞ！」

「馬鹿な……【無間《むけん》】からの脱獄など……」

「ああ？　じゃあ何か、俺らの目の錯覚だってのか？　それとも脱獄したのは藍染の方で、鏡花水月《きょうかすいげつ》の幻術でも俺らに見せたってのか？　あぁ？」

普段、家で喋《しゃべ》る金持ち風の言葉とは違う口調で叱責《しっせき》する父親と、それを聞いてあからさまに動揺している砕蜂。そんな光景を見て、普段砕蜂に厳しく叱責されている希千代はスカっとしかけたのだが――

「ったく、夜一《よるいち》さんが戻ってきたからって、少しハシャいでんじゃねえか？　お前は昔から夜一さんの前だとデレデレと気ぃ抜きやがって！」

更《さら》にエスカレートしていく父親の言葉に、逆に冷や汗が滲《にじ》み始める。

――い、いやいやいや、パパ上殿？

──そんな、ほら、今は砕蜂隊長は隊長なんだぜ？　現役の時の親父より上なんだぜ？　危険な兆候を感じ、慌《あわ》てて二人の会話に割って入る。

「ま、待てよ！　パパ上！　今はそんな事を言ってる場合じゃねえだろ？　脱獄囚が出たんなら、すぐに各方面に連絡しねえと！」

すると、砕蜂はジロリと希千代を一瞥《いちべつ》した後、表面上は冷静なまま声をあげた。

「まずは事実確認だ……檻理隊に、すぐに【無間】内を精査するよう指示を出す」

そして、心の奥で何かを押し殺したまま、一歩離れて伝令神機《でんれいしんき》越しに指令を伝え始めた。

──やべえええええぇぇぇえ！　怒ってるよ！　確実に怒ってるよ隊長オイ！

──んでもってこれ、その怒《いか》りが完全にオレ様にふっかかる流れだ！

このまま父親が砕蜂にキツイ言葉を投げかけ続ければ、そのしっぺ返しは全《すべ》て自分に返ってくる。一見冷静沈着に見える砕蜂だが、夜一絡《がら》みの件も含《ふく》め、感情に左右される側面が大きいのは事実だ。

希千代はとりあえず父親がそれ以上砕蜂を叱責せぬよう、実の父の機嫌《きげん》をとりにかかる。

「い、いやぁー！　それにしてもさ、パパ上ってばすげえよ！　鬼道《きどう》をあんな風に使いこなすなんて、オレにゃあとても真似《まね》できねえって！」

だが──

「なに……?」

息子の言葉を聞いて、希ノ進は戸惑《とまど》った顔で問いかける。

「希千代……お前、まさか……あれと同じ事、できないのか?」

「……え?」

次の瞬間――指示を終えて伝令神機を耳から外《はず》した砕蜂に、希ノ進が更に怒りの声をあげた。

「おいおい、お前の指導が悪いせいで、可愛い希千代の成長が止まってるだろうが! ったく、八十番台縛道《ばくどう》の疑《ぎ》似重唱《じじゅうしょう》のやり方すら教えてねえのかよ!」

実際のところ、希ノ進の縛道技術は仕事をサボって逃げ出す四楓院夜一《上官》を捕《と》らえる為《ため》だけに独自に鍛《きた》え上《あ》げたものだ。

よって、それを息子《むすこ》が使えない事について砕蜂を叱責するのは筋違いなのだが――

「……面目次第《めんぼくしだい》も御座いませぬ。私の指導が到《いた》らなかったようです」

素直《すなお》に頭を下げる砕蜂に、希ノ進は怒りを静めて頷《うなず》いた。

「おう、解ればいいんだ。息子を今まで以上にきちんと鍛えてやってくれよ、隊長殿」

――ぱ、ぱぱぱぱパパ上ぇー! なに余計なこと言ってんの!?

――しごき許可どころか、虐待《ぎゃくたい》通り越して殺人許可だよパパ上ぇぇぇーッ!

「……つつがなく、務《つと》めさせて頂きます」

現在の地位に関係なく、隠密機動の先達《せんだつ》である希ノ進に対して敬意ある言葉を返す砕蜂。

だが、希千代からすれば、下げた頭の下にある双眸《そうぼう》が自分を睨《にら》みつけているような気がして全身に震《ふる》えが走っていた。

その緊張を脱獄囚に対するものだと思った希代《まれよ》は、兄に何と言葉をかけるべきか迷っていたが――声を出すよりも先に、父親にヒョイと抱《かか》え上《あ》げられる。

「俺達も後で事情を話しに隊舎に行くから、【無間】の確認が終わったらすぐに総隊長にも連絡しとけよ。旅禍《りょか》どころの騒ぎじゃねえぞ、こいつは」

砕蜂達にそれだけ告げ、希代を抱えたまま瞬歩で去る希ノ進。

銀次郎も『勘定台の上に慰謝料を置いた』という男の言葉を確認する為、店の中へと消えていった。

周囲に人がいなくなった事を確認した瞬間――希千代はその場にひれ伏《ふ》し、砕蜂に対して勢いよく謝罪する。

「すッ、すんません隊長！　うちの親父がすげえ失礼な事を色々言ってましたけど俺はちっとも悪くないっていうか隊長の悪口を家で親父に言ったりなんか欠片《かけら》もしてねえッスから勘弁《かんべん》して下さいー！」

一息でそこまで言い切った大前田に、砕蜂は厳しい口調を叩《たた》きつけた。

「馬鹿者が！　そんな事をしている場合ではない！」

まるで、藍染と相対《あいたい》した時のように厳しい霊圧を纏《まと》っている砕蜂に気づき、大前田も改めて問いかける。

「……そ、そんなにヤバイ野郎なんすか？　さっきの奴……【無間】っつったって、流石《さすが》に藍染ほどヤバい奴じゃないッスよね⁉　ね？」

「確かに、奴が藍染より強いとは言わん」

「で、ですよね！　そうッスよね！　うん！」

安堵《あんど》の息を吐く大前田。だが、そんな彼の希望を砕蜂は淡々とへし折った。

「だが、弱いとも言い切れん」

「へぁ？」

「まだ、夜一様が隊長になられる前の話だが……。痣城剣八という男が大罪を犯《おか》した際、奴を捕縛《ほばく》する為に全ての隊長格が動いたそうだ。かつて、黒崎一護《くろさきいちご》達が旅禍として現れた時のようにな」

砕蜂の言葉に、大前田は黒崎一護に一撃でノされた事を思いだし、バツが悪そうに目を背《そむ》けた。

一方、砕蜂はそんな大前田に対して最初から視線を向けておらず、過去の記憶を辿《たど》りながら、厳しい表情で虚空《こくう》を見つめる。

「だが……結果として、十三隊の手で痣城剣八を捕らえる事はできなかった」

「ちょッ……」

「それどころか、奴に手疵《てきず》を負《お》わせる事すらできなかったそうだ」

≒

半刻後　一番隊舎

「事態は火急である！」

ダン、と杖《つえ》の先を床に押しつけ、護廷《ごてい》十三隊の総隊長、山本元柳斎重國《やまもとげんりゅうさいしげくに》が轟然《ごうぜん》たる声を隊舎内に響《ひび》かせた。

そこに集まっているのは、緊急召集を受けた隊長達。

病欠の浮竹《うきたけ》や、理由もなく欠席している更木《ざらき》剣八《けんぱち》や涅《くろつち》マユリといった面々もいるのだが、ほぼいつも通りの面子《めんつ》が顔を揃《そろ》えていると言っていいだろう。

他の隊長達を待つ時間も惜しいとばかりに、元柳斎は隊首会《たいしゅ》を開始する。

元柳斎の視線を受け、砕蜂《ソイフォン》が冷静に報告を開始した。

「隠密機動《おんみつきどう》の調査により、【無間《むけん》】から大逆《たいぎゃく》の徒である痣城剣八《あざしろけんぱち》の姿が消えている事が判明しました。藍染惣右介《あいぜんそうすけ》をはじめとする他の囚人達が脱獄した形跡はなく、現在は全警邏《けいら》隊員に痣城の捜索《そうさく》を命じております」

痣城剣八。

その名前に反応して表情を変えたのは、四番隊隊長である卯ノ花烈《うのはなれつ》と、八番隊隊長の京楽春水《きょうらくしゅんすい》、そして先日隊長職に復帰した平子真子《ひらこしんじ》と鳳橋楼十郎《おおとりばしろうじゅうろう》、六車拳西《むぐるまけんせい》を合わせた五人だった。

「こりゃまた、随分《ずいぶん》と懐《なつ》かしい名前が出てきよったもんやなあ。俺が隊長になる前にとっつかまった奴《やつ》やんけ」

「ああ、もう二百年以上も前の事だからねえ」

「俺らが席官になった頃か？　あの野郎が反乱だかなんだか起こして【無間】行きになったのはよ」

古い先人を語るかのような平子達に対し、彼らよりも更《さら》に長く隊長職をやっている卯ノ花は、表情に陰を含《ふく》めて呟《つぶや》いた。

「痣城剣八……まさか、こんなにも早く、その名を耳にするとは思いませんでした」

一方で、京楽は沈黙したまま笠《かさ》を深く被《かぶ》り直し、考える。

――こりゃ参《まい》った。

――やっぱりあの子は、蟲《むし》の知らせって奴だったのかねぇ。

先刻、雨乾堂《うげんどう》で見た破面《アランカル》の少女の事を思い出し、京楽は大きな溜息《ためいき》を吐《は》き出《だ》した。

――いや……偶然じゃなく、何か繋《つな》がりがあると考えた方が自然かな？

京楽が思案していると、他の隊長達が言葉を交《か》わし始める。

「知らねえ奴だな。『剣八』ってのは、なんかの冗談か、それとも単なる偶然か？」

日番谷冬獅郎《ひつがやとうしろう》が仏頂面《ぶっちょうづら》で呟くと、朽木白哉《くちきびゃくや》が無表情でその疑問に答えた。

「確かに、『剣八』の名は前任者を決闘で屠《ほふ》り去《さ》る事で襲名《しゅうめい》するのが慣《なら》わし……同じ時を二人の剣八が並《なら》び歩《あゆ》む事はない。しかしながら、十一代の来歴《らいれき》の中には、例外も存在したと聞《き》き及《およ》んでいる」

その言葉を受《う》け継《つ》ぎ、元柳斎が口を開いた。

「然《さ》様《よう》。その例外こそが痣城剣八じゃ」

目を薄く開き、僅《わず》かに声を重くして語り始める総隊長。

「奴は七代目である剣屋敷《くるやしき》剣八を決闘にて斬り伏《きふ》せ、その名を襲名したが……あやつ自身は、誰にも斬られておらん。奴が大罪《たいざい》を犯《おか》した後《のち》、【無間】の獄《ごく》に存在そのものを葬《ほうむ》り去《さ》り、当時の十一番隊副隊長を九代目の『剣八』と任じて襲名を続けた形になるのう」

更に後を引き継ぐ形で、思案を終えた京楽が日番谷達に向かって語りかける。

「その九代目が、鬼巌城《きがんじょう》って名乗る流魂街《ルコンがい》の猛者《もさ》に斬られてねえ。その強い強い鬼巌城剣八君を更に斬ったのが、今の更木剣八隊長ってわけさ」

「……単刀直入に聞くぜ。あんたから見て、その痣城って奴は、更木より厄介《やっかい》なのか？」

目を細めながら問う日番谷に、京楽は苦笑《にがわら》いしながら自《みずか》らの顎《あご》を親指でさすった。

「単刀直入って言われてもねえ……痣城元隊長も更木隊長も特殊過ぎるよ。何しろ、僕らは彼らの斬魄刀《ざんぱくとう》の名前すら知らないんだから。痣城君に到《いた》っては、刀を見た事すらない」

「刀……？　始解《しかい》って意味か？」

「いいや？　言葉通りの意味さ。持ってないんだよ、斬魄刀をね。正確に言うなら、確かに彼は斬魄刀を持ってるんだけど、僕らには見えなかった……ってとこかな」

すると、それまで黙っていた七番隊隊長の狛村左陣《こまむらさじん》が、獣《けもの》の耳をピクリと反応させて口を開く。

「もしや……藍染《あいぜん》の鏡花水月《きょうかすいげつ》と同じ、幻術系という事か？」

「その可能性も確かにあるけど、どうかねえ。彼はその秘密を一度も明かさなかったよ。四十六室《しじゅうろくしつ》の追及にも、始終『もう見せている』って言葉だけで押し切ったらしい」

「……？　あの四十六室が、それで納得《なっとく》したってのか？」

何か四十六室に思う所があるのか、少し驚いたように問う日番谷。

京楽は、その疑問も尤《もっと》もだと頷《うなず》いた後、溜息混《ま》じりに言葉を返した。

「そんな我《わ》が儘《まま》が許されるのが、最強の死神である『剣八』の名前って事だよ。十代目の鬼厳城君も、隊首会や四十六室の意向を無視する事が多かったからね」

「我が儘ってレベルじゃねえだろ、それ……」

「ま、つまり『剣八』っていうのは、瀞霊廷《せいれいてい》の中で一種の特権階級ってわけさ」

笠の陰《かげ》から虚空《こくう》を見つめ、過去を振り返りながら独《ひと》り言《ごと》のように呟く京楽。

「……思えば、痣城君はそれを狙《ねら》って『剣八』になったのかもしれないねぇ」

≒

同時刻　瀞霊廷某所《せいれいていぼうしょ》　処刑場跡《あと》

綾瀬川弓親《あやせがわゆみちか》は、珍しく不機嫌《ふきげん》な顔をしていた。

自分が『敗北』した瞬間を思い出していたからだ。

単なる敗北ならば、そこまで不機嫌な顔にはならなかったろうが――この場で弓親が舐《な》めた辛酸《しんさん》は、自分の中から永久に消し去りたい程《ほど》の記憶だった。


瀞霊廷の端にある、古い処刑場跡。

落ちたらまず助からないであろう深い穴が掘られ、両側には地面の裂《さ》け目《め》を覗《のぞ》きこめる形で高台が設置されている。

死神ならば、霊子《れいし》を足場にして宙に留《とど》まれば助かる事ができると思いがちだが――壁面には殺気石《せっきせき》が仕込まれており、遮魂膜《しゃこんまく》の蓋《ふた》によって巨大な『檻《おり》』と化している。

穴の底には、やはり殺気石によって造《つく》られた厳重《げんじゅう》な扉が二つあり、片側から罪人《ざいにん》達が運びこまれ、もう片方の格子《こうし》から無数の虚《ホロウ》が開《あ》け放《はな》たれるという仕組みだ。

罪人達の処刑を見せ物として扱《あつか》っていたという、尸魂界《ソウル・ソサエティ》の暗部。

現在ではその風習は廃《すた》れているものの、歴史を辿《たど》れば、数多くの死神や貴族がこの穴で虚《ホロウ》の餌食《えじき》となっている。

そんな陰惨《いんさん》な空気を纏《まと》う場所で、かつて弓親は旅禍《りょか》の花火師に辛酸を舐めさせられたのだが——彼が嫌《いや》な思い出の場所にいるのには、それなりの理由があった。

流魂街《ルコンがい》から戻った後、一角《いっかく》と共に破面《アランカル》の捜索《そうさく》にあたっていた弓親だったが——その最中、奇妙な霊圧《れいあつ》を感じ取り、二人でその霊絡《れいらく》を追跡したのだ。

破面《アランカル》や虚《ホロウ》のものとは違う、まごうかたなき死神の霊圧。

だが、今までに感じた事の無い、全身に絡《から》みつくような不気味な霊圧だった為《ため》、何か関係があるのではないかと判断したのだ。

更《さら》に妙な事に、途中でその霊絡が別方向に分かれる。個々の霊体に繋《つな》がる霊絡の特質を考えれば、本体に向かう途中で分かれるなど考えられない事だった。

彼らはそれぞれの霊絡を辿《たど》る為、二手に分かれて追跡を続ける。

旅禍の襲来《しゅうらい》に加え、普段は常《つね》に行動を共にする一角と分断された事。二つの要素が、弓親の中に過去の敗北を思い起こさせた。

更に、霊圧を追った末に辿り着いたのが、まさにその敗北を喫《きっ》した場所だ。

それが単なる偶然だと思う程に楽天的ではない弓親は、更に不機嫌な顔で霊絡の続く先——穴の底へと目を向ける。

だが、霊絡は穴の途中にある遮魂膜で途切れていた。

遮魂膜に耐《た》え切《き》れずに消滅したにしては、周囲に霊圧が色濃く残り過ぎている。

弓親は、混乱を抑《おさ》えつつ、周囲の霊圧を慎重《しんちょう》に探《さぐ》った。


と、そんな彼の横から、若い男の声が響《ひび》き渡《わた》る。

「この穴は、いつになったら埋めるのだろうな。土地はもっと有効に活用すべきだ」

世間話のように語りかける、死覇装《しはくしょう》を纏った男。

なんの霊圧も感じさせず、突然隣に現れた男にチラリと目を向け、弓親は取り乱す事なく言葉を返した。

「……一応は、歴史のある場所だからね。悪趣味な風習とはいえ、それを繰《く》り返《かえ》さない為に教訓として史跡を残しているんじゃないかな」

「そうかな？　君はこの場所で闘《たたか》ったというのに、暴戻《ぼうれい》の因果《いんが》を断《た》ち切《き》っていたようには思えなかったが。無駄《むだ》な渇望《かつぼう》に気を取られずに闘っていれば勝てた相手だ」

「……まるで、見てきたかのような言いぐさだね」

先刻まで不機嫌だった表情から、徐々に色を消していく弓親。

そんな彼に、男は更に言葉を続けた。

「志波《しば》岩鷲《ガンジユ》も、『命の選択を迫《せま》られた顔は美しい』と呟《つぶや》いた君に対して言っていただろう？

『そういうものを悪趣味という』とな」

自分に敗北を与えた花火師の名と言葉を聞き、弓親は確信する。

この男は、自分と志波岩鷲の戦いを、詳細《しょうさい》に到《いた》るまで『識《し》っている』と。

だが、突きつけられた事実は、かえって弓親を冷静にさせた。

目を細めて全身の霊子《れいし》を研《と》ぎ澄《す》ます弓親の横で、男は無表情のまま刑場に目を向ける。

「虚《ホロウ》を殲滅《せんめつ》する事が目的である死神が、虚《ホロウ》を見せ物の道具とする。忌《い》むべき愚行だ。死神は、虚《ホロウ》をただ滅するだけの存在であるべきだ。罪人を罰する為だけに存在する、地獄の番人達《クシャナーダ》のように」

「そんな機械みたいな生《い》き様《ざま》、僕はあまり美しさを感じないね」

「美醜《びしゅう》感覚も、本来は必要ないものだ」

話が平行線になると感じた弓親は、それ以上処刑場の話題については触《ふ》れなかった。

だが、会話を途切れさせる事は無く、僅《わず》かに殺気を含《ふく》めた言葉を突きつける。

「一つだけ、君に言っておくよ」

「何かな？」

弓親の視線が、男が死覇装の上に纏う、十一番隊の隊長羽織《ばおり》を鋭く貫《つらぬ》いた。

「君が何者かは知らない、僕と一角を分断した理由もね。だけど、更木《ざらき》隊長でもないのに、その羽織を纏っている時点で……君は僕の敵だ」

次の瞬間、弓親が抜いた斬魄刀《ざんぱくとう》が男の立っている場所を薙《な》いだ。

だが、弓親の刃《やいば》に手応《てごた》えは無く、まるで霧でも裂いたかのように刀身が男の身体《からだ》を擦《す》り抜《ぬ》ける。

「……ッ!?」

「私が十一番隊を侮辱《ぶじょく》していると受け取ったのなら、誤解させた事を謝罪しよう。だが、無駄な問答を防ぐ為に事実を伝えておこう」

隊長羽織の男が口にしたのは、弓親の矜恃《きょうじ》を更に刺激する言葉だった。

「この隊長羽織の正当な後継者《こうけいしゃ》は、決して更木ではない」

「……どういう意味かな」

「そもそも、更木に、『剣八《けんぱち》』を名乗る資格はない。彼はまだ、本物の『剣八』を斬《き》っていないのだからな」

冷たい声で、ただ、彼の中での事実を淡々《たんたん》と語り続ける隊長羽織の男。

「少なくとも……卍解すら修得していなかった黒崎一護に負けた男に、『剣八』の名を譲《ゆず》るつもりは毛頭無《もうとうな》い」

「咲け、『藤孔雀《ふじくじゃく》』」

男の言葉が終わると同時に、弓親は解号《かいごう》を唱《とな》えた。

斬魄刀の刃が四つの美しい曲刀《きょくとう》に分裂し、まさしく孔雀の羽のように変形する。

その切っ先を相手に向け、今しがた、刃が男の身体を素通りした理由について思案した。

――さっきの能力はなんだ……幻術系か？

推測と同時に、『鏡花水月《きょうかすいげつ》』の名が浮かんで警戒心のレベルが跳《は》ね上《あ》がる。

大きく一歩下がりながら、相手の力の正体を摑《つか》もうとする弓親。

目に見える男の姿に囚《とら》われるのは危険だと判断し、弓親は慎重に相手の霊圧を探りながら藤孔雀を構《かま》える。

その刹那《せつな》――

彼は、自分の足が地面に沈みこむのを感じ取った。

「ッ!?」

バランスを崩《くず》しつつも、弓親は己《おのれ》の足に目を向ける。

そこで彼は、信じられないものを見た。

自分の足下《あしもと》に敷かれた石畳《いしだたみ》が、まるで粘菌《ねんきん》のように蠢《うごめ》き、足首に絡みつきながら地に引きずりこもうとしているではないか。

「……ッ!?」

——やっぱり、幻術か!?

そう思ったものの、石畳に絡まれた足を動かす事ができない。

藤孔雀で石畳を斬《き》り裂《さ》こうとした弓親だが、その腕の動きがビタリと止まった。

「これは……!?」

弓親の纏う死覇装。

その両腕の袖口《そでぐち》の一部がひとりでに切り裂け、蛇《へび》のように絡み合う。

それはまるで拘束具《こうそくぐ》さながらに腕の支点を封じ、上半身の動きも封じこめられた。

自《みずか》らが羽織《はお》る死覇装によって腕を捻《ねじ》り上《あ》げられ、斬魄刀を握《にぎ》る力が緩《ゆる》められた瞬間——

見えない糸に引かれるかのように、斬魄刀が空中へともぎ取られたのだ。

もぎ取られた、という表現が正しいのかどうかも解《わか》らない。何しろ、隊長羽織を纏った男は先刻の場所から一歩も動いておらず、鬼《き》道《どう》を発動した様子すら見られない。

斬魄刀はくるくると回りながら宙を舞い、隊長羽織の男の腕の中に収まった。

他者の手に渡った事で始解前の状態に戻りつつある藤孔雀を眺《なが》めながら、男が言う。

「一つ……聞きたいのだが」

「…………」

「何故《なにゆえ》、君にまだ『瑠璃色孔雀《るりいろくじゃく》』の存在を仲間に隠し続ける？」

「……ッ！」

弓親の中で、動揺と同時に殺意が膨《ふく》れあがる。

――こいつは、僕の秘密を知っている。

――檜佐木《ひさぎ》との戦いも見てたのか!?　それとも、破面《アランカル》と闘った時か？

綾瀬川弓親の斬魄刀の真名は『瑠璃色孔雀』だ。『藤孔雀』と呼んで力を隠しているのには、瑠璃色孔雀本来の力が、『相手の霊力を吸《す》い尽《つ》くす』という性質が関係している。

十一番隊では鬼道系の能力は疎《うと》まれがちであり、たとえ自分の命が危機に晒《さら》されようとも その力を衆目《しゅうもく》の前で行使する事はなかった。

確実に一対一、しかも、絶対に他者に喋《しゃべ》らないような相手か、虚《ホロウ》相手にしか使った事がないのだが――眼前の男は、その秘密をいけしゃあしゃあと口にする。

「更木も斑目《まだらめ》一角も、鬼道系の斬魄刀を使った程度で君を軽蔑《けいべつ》するような男達ではないように感じるが？」

挑発の類《たぐい》ではなく、純粋な問いかけのようだった。

「どうかな。君に隊長や一角を理解できるとは思えないけど……」

弓親は足と腕を封じられたまま、不敵な笑《え》みを浮かべて答える。

「仮にそうだとしても、僕自身が許せないのさ。十一番隊の矜持《きょうじ》を人前で穢《けが》す事がね」

「……そうか。安心したまえ、私がその事実を他者に話す事はない。……が、この瑠璃色孔雀は暫《しば》し預からせて貰《もら》う」

「なんだって⁉　おい、ちょっと待ってくれ！　話が全《まった》く見えないぞ⁉」

身体を石畳と死覇装に束縛《そくばく》されたまま大声をあげる弓親。

斬魄刀は死神自身の分身と言ってもいい。相性の善《よ》し悪《あ》しはあれど、奪《うば》われる事を黙って見過ごす者など存在しないだろう。

もっとも、動けぬまま喚《わめ》いたところで、刀が手に戻ってくるわけでもないのだが。


そんな弓親を見て、小さく溜息《ためいき》を吐《は》き出《だ》した痣城剣八《あざしろけんぱち》は、これ以上関《かか》わるのは無駄と判断し、藤孔雀を手にしたまま踵《きびす》を返す。

と、振り返った目の前に、目隠しをした女が立っていた。

「キハハハハ！　また無駄話してたね！　何も言わずに刀だけ奪えば良かったのにさ！　なになに？　今度はどうしたの？　未練？　未練って奴？　ちょっとの間とはいえ、十一番隊の隊長だったんだもんねぇ！　でも、残念でした！　今の十一番隊に、あんたを隊長だなんて認める奴は一人もいないよ？　キヒッ！　あんた、友達いないもんね！」

「必要ない。私が欲しかったのは、十一番隊ではなく、『剣八』という立場に過ぎん」

「キハハハ！　その割には、最初の一年は無駄に仕事を頑張ってたよねぇ！　そうすれば、誰かが自分の考えに賛同すると思った？　無理無理無理！　剣屋敷《くるやしき》剣八を斬ったあんたについてく奴なんていいるもんか！　正々堂々とチャンバラしたんならまだしも、あんたがやったのは騙《だま》し討《う》ちにも等しい行為だったからね！」

「……この二五〇年で、貴様がそれを言うのは三二四五回目だ。それに、私が仕事に尽力をもってあたるのは当然のことだろう。虚《ホロウ》の殲滅《せんめつ》こそが我《わ》が本懐《ほんかい》なのだからな」

苛立《いらだ》たしげに答える痣城。だが、女は言葉の前半にだけ反応し、更に頬《ほお》を緩《ゆる》ませる。

「わあびっくり！　いちいち数えるのって、あんたの大嫌いな無駄な努力なんじゃないの？　でも、いいよ、私が許してあげる！　私は無駄が大好きだからね！　みんなももっと無駄な時間を大事にすればいいのに！　無駄口を叩《たた》きながら無駄足で無駄骨を踏《ふ》み砕《くだ》いて無駄な足掻《あが》きをするって素敵じゃない？　キハハハハハハハ！」

「黙れとは言わん。消えろ」

自分の身体にまとわりつきながら笑う女を見下ろし、苛立たしげに言う痣城。

だが――

そんな彼の姿を見て、未《いま》だに拘束《こうそく》されたままの弓親が、眉《まゆ》を顰《ひそ》めながら呟いた。

「一つ、聞いてもいいかい」

「…………」

無言のまま視線を向けてきた隊長羽織の男に対し、弓親は不思議そうに問いかける。

「……君は一体、誰と話してるんだ？」

≑

一番隊舎

「い、以上が、俺の目撃した痣城剣八《あざしろけんぱち》の様子でありまっス！」

厳しい目をした山本《やまもと》総隊長を前に、いつもよりも過剰《かじょう》な敬語を使う大前田《おおまえだ》。

「あ、そ、そうだ。あと一個だけ気になった事が……」

「何じゃ」

元柳斎《げんりゅうさい》の眼光に射貫《いぬ》かれ、震《ふる》えあがりながらも言葉を続ける大前田。

「あいつ……なんか途中で、誰もいないとこに向かって『黙れ』だのなんだの大声あげて……オレらは喋《しゃべ》ってなかったのに、まるで見えねえ誰かと喋ってるっつーか……」

≑

処刑場跡《あと》

「……失礼した。独《ひと》り言《ごと》のようなものだと思ってくれ」

「人の刀を盗んでおいて独り言とはね。随分《ずいぶん》と余裕じゃないか。そんなヒマがあるなら、僕にトドメを刺そうとは思わないのかい？」

弓親《ゆみちか》の言葉に、隊長羽織《ばおり》の男は淡々《たんたん》と否定の言葉を口にした。

「その必要を感じない。死神の使命は、虚《ホロウ》を滅し、死者を導《みちび》き、尸魂界《ソウル・ソサエティ》と現世のバランスを取る事だけだ。殺し合いや、闘争そのものに目的を置くものではない」

教本に書かれているような台詞《せりふ》をしゃあしゃあと吐《は》き出《だ》した後、男は更《さら》に続ける。

「瑠璃色孔雀《るりいろくじゃく》は、私の目的を達した後に返そう。それまでは休暇を楽しみたまえ」

「目的……？」

「これ以上は、私にとって無駄話《むだばなし》というものだ」

それだけ呟《つぶや》くと、隊長羽織の男はゆっくりとその姿を空気の中に溶《と》けこませた。

完全に姿が消え去るのと同時に、石畳《いしだたみ》も死覇装《しはくしょう》も全《すべ》て元の状態に戻り、弓親の身体《からだ》に自由が与えられる。

だが、弓親はその場を動かぬまま、小さく奥歯を噛《か》みしめた。

「随分と、醜《みにく》い幕切れを味わわせてくれるじゃないか……」

≒

一番隊舎

「なんのことはない。痣城剣八《あざしろけんぱち》が話しておったのは、『雨露柘榴《うろざくろ》』の奴《やつ》じゃ」

大前田《おおまえだ》の疑問に答えたのは、いつの間にか部屋の隅《すみ》に立っていた四楓院夜一《しほういんよるいち》だった。

「夜一様！　いらしていたのですか！　仰《おっしゃ》って下さればお迎えにあがりましたのに！」

口元は無表情のまま、声と目を露骨《ろこつ》に輝かせる砕蜂《ソイフォン》。

それとは逆に、元柳斎《げんりゅうさい》は普段と変わらぬ調子で口を開く。

「御主《おぬし》まで召集した覚えはないがの。来たなら来たで、許可を取ってから入室せい」

「いやいや、申《もう》し訳《わけ》ないのう総隊長殿《どの》。開始前には馳《は》せ参《さん》じているつもりだったんじゃが、ちょいと鬼事《おにごと》が盛り上がったものでな」

言葉の意味が解《わか》らず、訝《いぶか》しげに夜一を見る隊長達だったが、不意に放《はな》たれた夜一の言葉を漏《も》らさず聞いていた砕蜂が問いかける。

「夜一様、その……ウロザクロというのは、何者なのですか？」

「おお、それじゃがな……雨露柘榴というのは、痣城剣八の持つ斬魄刀《ざんぱくとう》の名よ」

あっけらかんと紡《つむ》がれた夜一の言葉に、室内の空気が僅《わず》かに変わった。

「……何故《なにゆえ》、御主があやつの斬魄刀の銘《めい》を知っている？」

総隊長の鋭い眼光を受け流しつつ、不敵な笑《え》みを浮かべる夜一。

「なに、直接聞いたまでよ。『雨露柘榴』本人からな」

百数十年前　双殛《そうきょく》の丘《おか》　地下訓練場

「ほう、これが転神体《てんしんたい》という奴《やつ》か」

「まだ試作品っスけどね」

夜一《よるいち》の問いに対し、奇妙な人型《ひとがた》模型を抱《かか》えた浦原喜助《うらはらきすけ》が答えた。

ここは夜一と浦原が地下に造《つく》り上《あ》げた秘密の訓練場。

喜助がその場に持ちこんだ人型は、転神体と名づけられた特殊な霊具《れいぐ》だ。

刀身を刺すことで、強制的に斬魄刀《ざんぱくとう》を具象化《ぐしょうか》させる修行《しゅぎょう》道具である。

「これだと半刻《はんとき》ぐらいしか具象化できないと思いますけど、卍解《ばんかい》の訓練をする為《ため》には、次に造る完成形で、具象化時間を三日ぐらいまで延ばしたいっスねぇ。呼べる回数が限定されるかもしれませんが、どのみち、色々と限界はあるでしょうし」

飄々《ひょうひょう》と呟《つぶや》きながら、転神体を台に立てかける喜助。

「じゃ、試しにボクの紅姫《べにひめ》を具象化させるんで、夜一サンにも見えるかどうか確認を……」

そこまで呟いた所で、転神体に変化が現れた。

「えッ？」

転神体が見せたその反応は、喜助にとって予想外だった。

何しろ、刃《やいば》で貫《つらぬ》くどころか、まだ紅姫を鞘《さや》から抜いてすらいないのだ。

にもかかわらず、転神体は徐々にその全身を蠢《うごめ》かせ、肉と布を纏《まと》った人の姿へと変貌《へんぼう》していく。

そして、最終的に——黒い革帯《かわおび》で目隠しをした扇情《せんじょう》的な格好の女が現れた。

「キハッ！　キハハハ！　わーい、喜助ちゃん、会いたかったよ！　寂《さび》しかった？　ねえねえ、寂しかった？　それとも私の事を放っておいて、夜一さんと宜《よろ》しくやってたのかなー？　キハハハハッ！」

煌《きら》びやかな服から艶《なま》めかしい肌色《はだいろ》を零《こぼ》す女の姿を見て、夜一は喜助に語りかけた。

「……紅姫の姿は初めて見たが、御主《おぬし》の内面世界は随分《ずいぶん》と淫蕩《いんとう》に満ちた桃源郷《とうげんきょう》じゃのう」

「イヤイヤイヤ⁉　違うっスよ⁉　うちの紅姫はこんな子じゃないっス！」

手と首を激しく振り、慌《あわ》てて夜一の言葉を否定する喜助。

「……っていうか、本当にどちらサンっスか？　なんでボクの名前を知ってるんです？」

喜助はすぐに冷静さを取り戻し、一歩下がって問いかける。

そんな彼に対し、女は何故《なぜ》か夜一にぺたぺたとまとわりつきながら口を開いた。

「キハッ！　私の名前は【雨露柘榴《うろざくろ》】だよ！　初めましてだけど、君達の事は隅《すみ》から隅ま

で識《し》ってるよ！　キハハハハッ！」

何だ可笑《おか》しいのか、無駄《むだ》に笑い続ける雨露柘榴と名乗った女。

彼女は暫《しば》く笑った後、不意に声を潜《ひそ》め——まだ当時は隊長ではなかったとはいえ、隠密《おんみつ》機動《きどう》に属する身の上の夜一達にとって、聞き捨てならない一言《ひとこと》を口にした。

「今、【無間《むけん》】に入ってる、痣城剣八《あざしろけんぱち》の斬魄刀だよ！　宜しくね！」

≑

現在　一番隊舎

「ま、半刻《はんとき》ほどの間じゃったが意気投合しての、いやあ、聞いてもおらんのに、あやつの方から自分の能力をベラベラ喋《しゃべ》り始めた時は何事かと思うたぞ。『無駄《むだ》に自分の能力を明かして使い手が危機に陥《おちい》る事に快感を覚える』などと巫山戯《ふざけ》た事を言うておったが、恐らくあれは本心じゃな。痣城《あざしろ》からすれば堪《たま》ったものではなかろうが」

あまりにもあっさりと語る夜一《よるいち》に、総隊長は眉《まゆ》を顰《ひそ》めながら呟《つぶや》いた。

「……そのような報告、受けた覚えはないが？」

「先代の隠密機動《おんみつきどう》総司令にはお伝えしたんじゃが、総司令から四十六室《しじゅうろくしつ》に上がったところで、『他言無用《たごん》』という指示が下りましての。四十六室からの命《めい》を破り、この場で話す事についての懲罰《ちょうばつ》は、あとでなんなりとお受けしましょうぞ」

途中まで敬語混じりで元柳斎《げんりゅうさい》に伝えた後、言葉の後半は普段通りの口調で隊長達全《すべ》てに言い聞かせる。

「上層部にも何か思惑《おもわく》があったんじゃろうが、当時の四十六室も今では全て病気や事故で死ぬか、あるいは藍染《あいぜん》に殺されておるゆえな。真相は藪《やぶ》の中という奴《やつ》よ」

そこで一旦《いったん》言葉を切り、夜一は自分の推測を口にした。

「まあ、恐らく、奴の能力が皆に知られれば、士気が落ちると考えたんじゃろうな。下手《へた》をすれば瀞霊廷《せいれいてい》が狂乱状態《パニック》に陥《おちい》りかねん」

「……それほどヤバイ能力だってのか？」

目を細めて尋《たず》ねる日番谷《ひつがや》に、夜一は飄々《ひょうひょう》と告《つ》げた。

「まあ、藍染の鏡花水月《きょうかすいげつ》といい勝負かもしれんな」

隊長達は僅《わず》かに視線を動かし、大前田《おおまえだ》だけが大仰《おおぎょう》に「ちょッ、まッ、あれと同レベルとか、冗談っしょ夜一さんよぉーッ!?」と狼狽《うろた》え、砕蜂《ソイフォン》に勢いよく蹴《け》り飛《と》ばされる。

いつも通りの光景は無視しながら、夜一は、とある過去の『現象』について語り始めた。

「……奴が過去にお尋《たず》ね者《もの》となった際、当然ながら儂《わし》らは縛道《ばくどう》で奴の座標を追跡しようとした。じゃが、誰が何度やっても、奴の居場所を瀞霊廷内よりも狭《せま》く特定できなんだ」

「むう……もしや、鬼道《きどう》や霊力の無効化という事か？」

狛村《こまむら》の言葉に、夜一は『鋭いの』と呟きつつも、肯定《こうてい》はしなかった。

「厄介《やっかい》さでは似たようなもんじゃな。確かに、奴には如何《いか》なる縛道も通じなかったらしい。九十九番の終曲である卍禁太封《ばんきんたいほう》すらもじゃ」

恐ろしい情報を軽々しく口にする夜一に、蹴り倒されたままの大前田は顔を青くし、隊長達は表情をより一層引《ひ》き締《し》める。

「じゃが、奴の能力の本質は、『無効化』ではない。『融合《ゆうごう》』よ」

「融……合……？」

砕蜂の呟きに、夜一は大きく頷《うなず》きながら言葉を続けた。

「見えない何かと話しておるように見えたのは、奴の内面世界が現実世界と融合しておるのが原因じゃ。転神体《てんしんたい》の具象化と違って、他人に『雨露柘榴《うろざくろ》』の姿は見えん。奴が刀を持っていなかったのは、常に卍解状態だったからじゃ」

「そして、卍解の能力は……『周囲の全てと融合し、支配する力』とでも言えばよいかの」

室内の空気が、冷たく静まりかえった。

夜一の言葉の意味を吟味《ぎんみ》し、あらゆる『可能性』を瞬時に思索《しさく》する隊長達。

数秒の時をおいて、夜一は彼らの推測に答え合わせをするかのように、口を開いた。

「奴は……痣城剣八《けんぱち》は、自《みずか》らの身体《からだ》を周囲の空間と融合させておる。宙に漂う空気も、我らが踏みしめる地面も、全て奴の一部と化し……それらの物質を霊子《れいし》単位で操《あやつ》る事が可能なのじゃ」

「…………」

夜一の言葉に、隊長達は再び思案する。

本当に空気そのものと融合できるのだとすれば、通常の方法で斬《き》る事などできはしない。更《さら》に言うならば、空気と融合した痣城が肺の中で膨張《ぼうちょう》するだけで、敵に簡単に致命傷を与える事ができるだろう。

「範囲は、どのぐらいだ？」

日番谷は問うが、その表情を見て夜一が告《つ》げる。

「もう、解《わか》っておるのじゃろう？」

――奴の居場所を瀞霊廷内よりも狭く特定できなんだ。

先刻の夜一の言葉が、室内にいた全員の脳裏《のうり》に響《ひび》き渡《わた》る。

「お、おい、ちょっと待てって、それ……」

大前田の震えるような声を抑《おさ》える形で、夜一はそこで笑いを消し――断言した。

「然様《さよう》……。奴は既《すで》に、この瀞霊廷そのものと融合しておる」

瀞霊廷の全ての場所が『痣城剣八』ならば、場所を特定しようとしても瀞霊廷より狭い範囲が絞《しぼ》れないのは必定《ひつじょう》となる。

そして、それは別の事実をも同時に示す。

「痣城剣八は融合した場に響く声も光景も、全て己《おのれ》の身の上で起こっているかのように感じ取れる。つまりは……」

一旦《いったん》言葉を句切《くぎ》り、中空を見つめながら言い放つ。

「この場所での会話も、奴には筒抜《つつぬ》けという事じゃ」

ザワリ、と、周囲の空気が改めて変化する。

「……解《げ》せんな。それ程《ほど》の力があるならば、いつでも脱獄できたのではないか？」

狛村の言葉に、夜一が不敵に笑いながら答えた。

「なに、【無間《むけん》】はそこまで甘くはない。外部から襲撃《しゅうげき》される可能性を考え、斬魄刀《ざんぱくとう》の力を弱める封印が幾重《いくえ》にも施《ほどこ》されておる。『雨露柘榴』の話を信じるなら、痣城の奴は瀞霊廷内の様子を自由に見聞きする事はできても、物を動かしたりする事はできんという事じゃった」

「なら、どうして今回は逃げ出せたんだ？」

当然と言えば当然である日番谷の疑問に、砕蜂がハッと気づき、悔《くや》しげに答える。

「……旅禍《りょか》による、技術開発局の襲撃だ」

「何？」

「浦原喜助《うらはらきすけ》が十二番隊長だった時代、技術開発局に一部の封印機構を移している。同じ場所で全ての封印を管理するよりも、各所に分散した方が安全だろうという判断でな。だが、今回はそれが裏目に出たのだろう」

封印が少し弱まった程度では、全身を幾重にも封じられ、斬魄刀すら持たない囚人達に脱獄する事などできない筈《はず》だった。

しかし、常《つね》に卍解状態であった痣城だけは勝手が違い、僅《わず》かに取り戻した力を用いて次次と封印を破り、完全に己の力を取り戻し、外部への干渉《かんしょう》が可能になったのである。

「他の囚人達が脱獄した様子はないが、隠密機動が改めて【無間】内を精査している」

淡々と現状を告げる砕蜂に、平子《ひらこ》が一つの懸念《けねん》を口にした。

「待てや。力を取り戻しよった痣城が、藍染《あいぜん》や他の連中を脱獄させるっちゅう可能性はないんか？」

誰もが思い浮かべたその懸念は、夜一によってあっさりと否定される。

「なに、奴の目的は混乱や破壊ではあるまい。そのような真似《まね》はせんじゃろう」

夜一はそこまで告げた後、虚空《こくう》を見上げながら言葉を紡《つむ》ぐ。

先刻の、『痣城は瀞霊廷の全てを見ている』という事を証明する為の言葉を。

「そうじゃな？　痣城剣八」


すると――部屋の中心、隊長達に挟《はさ》まれている空間に、異変が起こった。

室内の霊子が突如《とつじょ》として蠢《うごめ》き、色を浮かべながら一箇所《いっかしょ》に集まっていく。

色はやがて影を伴《ともな》い、一人の人間の姿を描きあげる。

「説明を省《はぶ》いてくれた事を、感謝すべきだろうか」

その人影――痣城剣八が声を紡ぐと、山本《やまもと》総隊長が杖《つえ》をカツリと床に打ちつけた。

「よくも、その顔をここに晒《さら》せたものじゃな。痣城双也《そうや》」

剣八ではなく、敢《あ》えて本名で呼ぶ元柳斎。

痣城は特に心を乱した様子もなく、恭《うやうや》しく頭を下げた。

「これは総隊長。お久しぶりです。無駄を省く為に申し上げておきますが、この姿は私の一部に過ぎません。焼き払う事に意味はないので、手出し無用に願います」

「一度は自ら獄に繋がれた貴様が牢破《ろうやぶ》りとはのう、何が目的か言うてみい」

威圧《いあつ》感、という単純な言葉では表せぬ重さと鋭さが、山本元柳斎の言葉の端々から滲《にじ》み出《で》て、周囲の空気そのものを震《ふる》えさせる。

だが、痣城はその熱気を含《ふく》んだ重圧を受け流し、淡々と言葉を紡ぎ出した。

「罪人《ざいにん》相手に動機を問うとは、丸くなられましたな総隊長。昔の貴方《あなた》ならば、問答の暇《いとま》すら与えず、私の制圧を試みていた筈です」

「……何が言いたい、小童《こわっぱ》」

「朽木《くちき》ルキアの処刑命令の時も、貴方は私情を捨て、尸魂界《ソウル・ソサエティ》の重要な歯車たらんと努《つと》めてきた筈です。全ては尸魂界《ソウル・ソサエティ》の為に……自らが悪役になる覚悟で、あらゆる残忍な命令を下してきた。そんな貴方を尊敬していたのですが……黒崎一護《くろさきいちご》が貴方を変えたのならば、少しだけ残念です」

言葉とは裏腹に、何一つ感情を見せぬ無表情で呟く痣城。

そして、藍染との戦いで隻腕《せきわん》となっている元柳斎の姿を見て、更に言葉を紡ぎ出した。

「ただ、失った腕を敢《あ》えて治さぬあたり、矜持《きょうじ》だけは以前とお変わりにならぬようだ。

……私からすれば、その矜持こそが、貴方の中で最も無駄な部分なのですが」

「……問いに答えるつもりはない、という事じゃな」

元柳斎の言葉に圧力が増し、周囲の隊長達は、室内の空気が急速にひ、り、つ、き始めるのを感じていた。

「私の目的は昔から変わりませぬ。無駄な説明に代わり、挨拶《あいさつ》を続けたまで」

痣城は真《ま》っ直《す》ぐな瞳《ひとみ》で元柳斎を見た後、周囲の死神達を見渡した。

「諸君には伝えておこう。私は現時点で、尸魂界《ソウル・ソサエティ》に危害を加えるつもりは毛頭《もうとう》ない」

「信じられると思うか？」

背の斬魄刀に手を掛ける日番谷。

そんな彼を一瞥《いちべつ》して、痣城——正確には、痣城の一部に過ぎない人影は、感情を見せぬ言葉を紡ぎ続けた。

「信じて貰《もら》えなくとも構《かま》わないが、私としては、無駄な争いを避けたいだけだ。改めて言おう。私は、瀞霊廷に危害を加えるつもりはない。現時点での目的は、ただ一つ」

自らを構成する『色』を静かに霧散《むさん》させながら、ゆっくりと声だけを響かせる痣城。

「死神としての使命を果たす。単純なことだ」

消えゆく姿とは裏腹に、声だけはハッキリと隊長達の耳に届く。

恐らくは、融合した空気そのものを振動させて声を発しているのだろう。

「虚殲滅《ホロウせんめつ》の足がかりとして……まずは顔の半分が髑髏《どくろ》に覆われた破面《アランカル》を『処分』する。ただ、それだけの話だよ」

淡々と紡ぐ痣城の言葉に、京楽《きょうらく》が口を挟んだ。

「そんな答えじゃ、誰も納得《なっとく》しやしないさ。僕らの仕事を手伝う為に、わざわざ脱獄したわけじゃないよね？」

「……確かに。あの髑髏面《めん》の女がいなければ、私も大人《おとな》しく獄《ごく》に繋《つな》がれていただろう」

「僕も詳《くわ》しいワケじゃないけど、彼女の『力』を使って何をする気なんだい？」

突っこんで聞く京楽に、隊長達の一部が眉を顰《ひそ》めた。

髑髏面の女と直接会話したのは京楽だけで、彼はまだその事実を浮竹《うきたけ》以外の死神に報告していない。だからこそ、髑髏面の女の特異性を知らぬ彼らからすれば、京楽の言動が少し奇異に映《うつ》ったのかもしれない。

だが、京楽との会話も全て『視《み》ていた』痣城は、特に疑問の表情も見せずに答えた。

「無駄話をするつもりはないのだがな。だが、君達の無駄な勘《かん》ぐりを避ける為に、必要な事は語っておこう」

そして痣城は、目を軽く伏《ふ》せた後、部屋の中にいる全ての死神に向けて語り始める。

「旅禍の襲撃によって私の力が解放されたのは事実だが、旅禍と結託《けったく》しているわけではない。私の預《あずか》り知らぬ事だ」

到底信じがたい言葉をあっさりと口にし、それ以上説得するわけでもなく、痣城は自分が語るべき事実と要求だけを口にし続けた。

「あの女の力を私が取りこむ事は、尸魂界《ソウル・ソサエティ》と現世《げんせ》にとって多大な利をもたらす。できる事ならば、協力を願いたい」

いけしゃあしゃあと言う痣城に、山本総隊長が杖を握《にぎ》る指に僅かに力をこめつつ、問う。

「御主《おぬし》の言う『利』とはなんじゃ」

核心を突く問いに対し、痣城はなんの迷いもなく答えた。

「虚《ホロウ》の根絶、並びに、魂《たましい》の調停」

そして、痣城はその具体的な方策を、至極《しごく》単純に説明する。

「虚圏《ウエコムンド》の浄化と同時に、現世の人間の心を少し弄《いじ》る。ただそれだけの事です。怨嗟《えんさ》、欲望、本能、様々な執着が整《プラス》の鎖《くさり》を崩壊させ、虚《ホロウ》を生み出す種《たね》となるならば、その全てを取り去るまで」

『それができれば苦労はない』という事を躊躇《ためら》いなく口にした後、痣城は更に続けた。

「現世学の講座でも教えている筈です。現世には、精神外科という医術が存在する事を」

精神外科。

代表的なものはロボトミーと呼ばれるものがあり、重度の精神病などを、脳の一部を切除する事で治療しようと試みた医術だ。

副作用も大きく、現在では廃《すた》れた医学として扱われているのだが――痣城は、そんなものを例に持ち出す事になんの迷いもない様子だった。

「私が行うのは、それに少しだけ似ている。現世の人間達の脳髄《のうずい》と魂魄《こんぱく》の一部を改良し、人を虚《ホロウ》へと導《みちび》く要素の一切《いっさい》を排除する。完遂《かんすい》の暁《あかつき》には地獄送りになる人間もいなくなるだろうが……それが如何《いか》なる影響をもたらすのか、逐一《ちくいち》精査する必要はあるだろう」

本人としては無駄を省いて語ったつもりなのだろうが、それでも、隊長達には遠回しに語っているように感じられた。

何故《なぜ》なら、痣城の目的は、単純にこう言い換《いか》える事ができると気づいていたからだ。

『人類そのものを、造り変える』

という、単純にして荒唐無稽《こうとうむけい》な一言《ひとこと》に。

「アホか」

最初に反応したのは、平子だった。

「お前、自分が何言うてんのかわかっとんのか？　東京だけで一千万人おんねんで。一日百人改造したかて十万日や。母ちゃんの子宮《しきゅう》におったガキが老衰《ろうすい》で死んで、もっかい別の母ちゃんの子宮に戻るレベルやぞ。そんなん、現世を余計に混乱させるだけや」

皮肉を交《まじ》えつつ、あっさりと痣城の言葉を否定する平子。

しかし、痣城は大真面目《おおまじめ》に反論した。

「あの女虚《ホロウ》の力を私が使えば、一千万の魂魄改造など一日で可能だ。それでも完遂までに一年はかかるだろうが、尸魂界《ソウル・ソサエティ》百万年の歴史の中では刹那《せつな》の時に過ぎまい？　虚圏《ウエコムンド》の殲滅《せんめつ》もまた然《しか》りだ」

女虚《ホロウ》の力。

それが具体的になんなのか理解できている者は、痣城を除《のぞ》いて誰もこの部屋に居なかったのだが――平子や卯ノ花《うのはな》をはじめとする勘《かん》の良い隊長達は、総じて理解した。

髑髏面の女虚とやらは、痣城の『融合』の力を絶大的に増幅させる鍵に相違ないと。

「虚《ホロウ》を憎んでるくせに、その虚《ホロウ》の力とやらを取りこもうってのは滑稽《こっけい》だな」

日番谷の言葉に、痣城はフム、と頷き、答えた。

「語弊《ごへい》があったようだ。私は確かに虚《ホロウ》の殲滅を目的としているが、虚《ホロウ》への憎しみなどない。単に浄化すべき敵として認識している故《ゆえ》、必要とあらば力を利用する事に躊躇《ためら》いはない」

どこまでも機械的に語る痣城の言葉を聞き、隊長達の間で一つはっきりした事がある。

この痣城という男は、本気で現世の神にでもなるつもりなのだと。

しかし、本人にそうした傲慢《ごうまん》さは見られず、あくまでも手段の一部として語っている。

「……何度も言うが、死神の役割は尸　魂　界《ソウル・ソサエティ》と現世の調停だ。その為に現世の人間が変化しようと、我々が気にかける理由はない」

あくまで事務的な答えを返す痣城に、山本総隊長が杖の先端で床を力強く打ち鳴らす。

「現世と尸　魂　界《ソウル・ソサエティ》は表裏《ひょうり》一体。御主の歩《あゆ》む道には、現世という世界そのものへの敬意が欠片《かけら》もない。それは、尸　魂　界《ソウル・ソサエティ》の先人達が積み上げた正義への敬意を欠《か》くにも等しい行為じゃ」

「敬意など、無駄以外の何物でもありませんよ。元柳斎殿」

並の死神ならばそれだけで悲鳴をあげそうな山本の威圧を受け流し、痣城は周囲の隊長達をグルリと見渡した。

「死神はただ、世界の為に回る歯車であればいい」

そして、誰も自らの意見に賛同していない事を確認すると、痣城は『無駄な時間を過ごした』とでも言わんばかりに溜息を吐き出しつつ、その姿を空気の中に溶けこませた。

「無論、私自身も含めてな」

九章

一時間前　空座町《からくらちょう》　椿台《つばきだい》　松倉《まつくら》病院跡地《あとち》

——自分は、何故《なぜ》生きているのだろう。

顔の右半分を髑髏《どくろ》で覆《おお》う女破面《アランカル》——ロカ・パラミアは、廃《はい》病院の屋上から町の景色を眺《なが》め、そんな事を考え続けた。

同じ事を思案するのは、これで何度目だろうか。

自我というものが芽生《めば》えてから如何《いか》ほどの時が経《た》ったのか、それすらもおぼろげだ。

——「自分に意思があるなどと思わない事だ。僕が必要としなければ、君はそこいらに転がる岩と同じなんだからね。……丁度《ちょうど》良い。君の名など、ロカ《ロカ》で十分だ」

藍染《あいぜん》の手で『破面化《アランカルか》』する直前、ザエルアポロはそう言って、蜘蛛《くも》型の中級大虚《アジューカス》である彼女に名前をつけた。

自我が芽生えた時から、すでにザエルアポロという男が自分の『主《あるじ》』として世界の中に存在しており、言葉通り、道具として扱《あつか》われ続けてきた。

疑問に思う事はあった。

自分に対するザエルアポロの扱いについてではない。

何故、自分は道具なのに自我があるのか、という疑問だ。

どうして、自分は解剖用の刃《やいば》や圧搾《あっさく》機のように、物言わぬ『道具』ではないのだろうと。

しかし、ザエルアポロは彼女の事を『道具』と呼び続け、彼女の自我など存在しないかのように振る舞い続けた。

現世《げんせ》などから知識を得た今なら、少しその理由が解《わか》る気がする。

自動機械やパソコンと呼ばれる物のように、手を触《ふ》れずとも作業を続ける『道具』として主人は自分を生み出したのだろうと。

人工知能という単語が現世には存在するが、ロカは、自分がまさにそれなのだと認識していた。

≑

無数の魂魄《こんぱく》を人為《じんい》的に縒《よ》り合《あ》わせ、大虚《メノスグランデ》を人工的に造《つく》り上《あ》げる。そうしたザエルアポロの実験の結果生まれたのが、ロカという存在だった。

中級大虚《アジューカス》まで成長した彼女だが、虚《ホロウ》同士で喰《く》らい合《あ》って力をつけたわけではない。ザエルアポロが他の虚《ホロウ》を潰《つぶ》して生み出した霊子《れいし》を注《そそ》ぎ、身体《からだ》そのものに改良を加える事で強制的に中級大虚《アジューカス》へと引き上げたのだ。

そんな自分の人生も、死神で最強と呼ばれた『剣屋敷剣八《くるやしきけんぱち》』という男への噛《か》ませ犬《いぬ》にされた時点で、一度は終わる筈《はず》だった。

しかし、剣屋敷という男は自分を殺さず、『人形を斬《き》る趣味はない』と吐《は》き捨《す》てた。

結局は役立たずとしてザエルアポロに始末される事には変わりなかったのだが——彼女は、すぐ先に待つ運命に、少しだけホッとしていた。

もう、何も考えなくても良いのだと。

自分の存在に悩む必要もなく、ただの霊子の塵《ちり》に戻るのだと。

だが——剣屋敷の様子を黒腔《ガルガンタ》内から観察していたザエルアポロは、何かを思いついたようで、ロカの処分を取りやめた。

代わりに、新たな実験の被験体《ひけんたい》として、二百年以上もの間、彼女は戯《たわむ》れ混《ま》じりに身体を切《き》り刻《きざ》まれ続けた。悲鳴に飽《あ》きたという理由で、途中から麻酔《ますい》をされた事が、せめてもの救いだったと言えるかもしれない。

そうして手に入れた新しい『力』は、ザエルアポロの目指《めざ》す『完璧《かんぺき》な生物』とやらに関係していたらしかった。

彼女に与えられたのは、『反膜の糸であらゆる物質と繋がり、霊力や情報を共有する』という力だった。剡屋敷と痣城《あざしろ》、二人の戦いを解析《かいせき》した事によって思いついた能力らしい。

ロカは、それがどういう仕組みで『完璧な生物』に繋《つな》がるのか解《わか》らなかったが——自分に与えられた力が重要なものと知った時、少し嬉《うれ》しかった。

自分は、主人の為《ため》に役に立つのだと。

こんな自分にも、確かに存在する理由はあるのだと。

しかし、安寧《あんねい》は長く続かない。

——「見たまえ。僕は遂《つい》に、死と生の循環《じゅんかん》を自《みずか》らの存在内で一巡させる事に成功した」

ザエルアポロが自らの帰刃《レスレクシオン》である『邪淫妃《フォルニカラス》』の能力、『受胎告知《ガブリエール》』を完成させた時、彼はこともなげにロカに言《い》い放《はな》った。

——「君は受胎告知《ガブリエール》のプランが潰《つぶ》れた時の予備に過ぎなかったが、これでもう、そちらの実験を進める理由は無くなったな」

受胎告知《ガブリエール》の能力は、自らが死を迎えた際、魂魄《こんぱく》ごと敵の体内に入りこみ、相手の全《すべ》てを奪《うば》いつつ転生する『技術』だ。

それこそ虚圏《ウエコムンド》の砂漠に転がる岩でも見るような、興味を完全に失ったという瞳《ひとみ》でロカを見つめるザエルアポロ。

そして、ロカは再び『自分に心がある理由』を見失ったまま、単なる『雑用をこなす道具』としての人生を歩《あゆ》む事となる。


破面化《アランカルか》の実験体として藍染《あいぜん》に献上され、中級大虚《アジューカス》でありながら人間に近い姿を手に入れた彼女は、そのまま破面《アランカル》達の雑用処理と、治療係としての任務を与えられた。

明確な任務が与えられたにもかかわらず、彼女の中に歓《よろこ》びは無かった。

藍染という男は、自分の主《あるじ》と同じように、自分を道具としてしか扱《あつか》っていない。恐らくは、欠片《かけら》も自分の事を必要としていないだろう。彼女はそう考えた。

自分だけではない。ザエルアポロも含《ふく》めて、全ての破面《アランカル》を道具として見ているようにしか思えなかった。

私だけじゃない、この新しい主は、虚圏《ウエコムンド》そのものをいずれ捨て去るかもしれない。

そんな事を常《つね》に思い続けていたが、それを誰かに口にする勇気もなく、ロカはザエルアポロの従属官《フラシオン》の一人という立場で、破面《アランカル》達の雑務をこなし続けた。

『10』の男は、自分の事など眼中にないようだった。

――「邪魔《じやま》くせぇ。踏《ふ》み潰《つぶ》すぞゴミが」

『9』の男は、頭を下げながら道を譲《ゆず》る彼女を見て、優越感に浸《ひた》るように呟《つぶや》いた。

――「中級大虚《アジューカス》様ともあろうものが、誇《ほこ》りの一つも持てないとは哀《あわ》れなもんだな」

『8』の男は、相変《あいか》わらず直属の主としてロカを道具のように扱い、仕事の成否にかかわらず彼女の身体を踏みにじった。

――「君は本当に愚図《ぐず》だね。道具としての役割も満足に果たせないのかい？」

『7』の男がそれを見て、憐《あわ》れみの色を瞳《ひとみ》に浮かべながらロカに告《つ》げる。

――「己《おのれ》の無力さを愛し、受け入れなさい。抗《あらが》うからこそ苦しみが生まれるのです」

『6』の少年は、片腕を失った前任者から番号を受《う》け継《つ》ぐと同時に、ロカの作業の邪魔をしては笑い続けた。

──「ア・ごめーんねぇ。君、虐《いじ》めやすそうな顔してるんだもーん」

その後、『6』の番号は前任者の男へと戻されたようだが、詳《くわ》しい経緯は解らない。糸や録霊蟲《ろくれいちゅう》の記録を辿《たど》れば解るだろうが、そこまでして知ろうとは思わなかった。

『5』の男は、治療係という存在そのものを疎《うと》ましく思っていたようで、彼女の前に顔を出す事すらしなかった。

『4』の男を見たロカは、自分に少し似た空気を感じて親しみを覚えたが──それはすぐに間違いだと気がついた。

──「希望など無意味だ。ましてや、俺の中にそんなものを求めるな」

そう呟いた男の瞳は何処《どこ》までも深く、暗く、ロカは『4』の男が自分よりも遥《はる》かに虚《うつ》ろな場所にいる存在だと感じ取った。

『3』の女──ティア・ハリベルは、ロカに一つの言葉を投げかけた。

──「生きる理由を持たずとも、闘《たたか》うことはできるという事を忘れるな」

ロカには、その言葉の意味を理解する事ができなかった。正確には、解ってはいたのかもしれないが——闘うだけの勇気が、彼女には存在していなかった。

『2』の王に酒をついだ時、すぐに追い払われた。

——「貴様はまるで人形じゃやな。酒が不味《まず》くなる、とっとと失《う》せんか」

人形と呼ばれるのは、二度目だった。

一度目は自分を斬《き》らずに見逃《みのが》した——生きる機会を与えてくれた死神だという事を思い出し、「人形」という単語が彼女の脳裏《のうり》により深く刻みこまれた。

『1』の男を見かける事は殆《ほとん》どなかったが、彼の従属官《フラシオン》である少女が、ある日、ロカの前にやってきて口を開く。

——「あぁもう、そんな辛気《しんき》くさい顔してちゃダメダメ！　あんた、せっかく美人なんだからさー、もうちょっと笑った方がいいよ？」

そう言われて、彼女は『笑う』という行為に意味があるのか、試してみる事にした。

『0』にして『10』でもある男の腕の治療を任《まか》され、その接続手術が終わった際——

ロカは、彼女なりに精一杯の笑顔を浮かべながら男に聞いた。

「いかがですか？　動き・反応等《など》切断前と変わりありませんか？」

――「……オウ」

答えと同時に、彼女の視界を影が覆《おお》う。

それが、『10』の男の巨大な拳《こぶし》だと気づいた瞬間から――

彼女の記憶は、暫《しば》し途切れる事となった。

「……ダメだな。本調子なら股《また》まで裂《さ》けたハズなんだがよ」

という、男の答えの続きを聞く事もないままに――彼女の笑顔は、形すら残さず叩《たた》き潰《つぶ》される結果となったのである。


ヤミー・リヤルゴの拳によって頭部を粉砕《ふんさい》されたロカは、そこで死んだ筈だった。

通常の虚《ホロウ》ですら致命《ちめい》的な一撃であり、破面《アランカル》となって超速再生能力を失った状態のロカに助かる術《すべ》などない。

だが――彼女の主人が、その理《ことわり》を歪《いびつ》にねじ曲げていた。

ザエルアポロが彼女に与えた能力の真髄《しんずい》は、外部記憶装置《バックアップ》だ。

自分の魂《たましい》と記憶を複写させ、何かあった時に彼女の身体からそれを引き出し、復活する。

不滅の研究の一つとして、ザエルアポロは彼女の『糸』と自らを繋げ、自らの記憶を常に彼女に保存し続けていたのである。

正確に言うならば、彼女の身体を介《かい》して、虚圏《ウエコムンド》の石や石英《せきえい》の木など、あらゆる物質に情報を分散させていたのだ。

しかし、『受胎告知《ガブリエール》』の完成により、その必要はなくなった。

バックアップなど無くとも再誕《さいたん》する事が可能となり、ロカの必要性がなくなったのだ。

それでも、ザエルアポロは彼女を処分しなかった。

『有用なメモ帳』程度の感覚で、彼女を放置し続けたのである。

だが、皮肉な事に、放置された事によって彼女は消滅を免《まぬが》れた。

様々な実験を経《へ》て、虚圏《ウエコムンド》の多岐《たき》にわたる物質と魂を共有させていたロカ。

彼女自身にその意志がなかったとしても、ザエルアポロはバックアップが壊れぬような細工を施《ほどこ》していたのである。

そして、彼女の霊子が消えかけた瞬間――そのシステムが発動した。

ある意味で、それは『受胎告知《ガブリエール》』の試作品的な技術とも言えるだろう。

石や石英の木、宮殿の壁に分散された彼女の情報が糸を通して逆流し、その身体を、記憶を、魂を再生させたのである。

長い時をかけて、破壊された彼女の身体が再構築され——

彼女は何一つ理解できぬまま、再びこの世界に投げ出される結果となった。


そして、彼女は知る。

自分が再構成されるまでの間に、藍染は虚圏《ウエコムンド》を捨て去り、殆どの破面《アランカル》は死《し》に絶《た》え——

主であるザエルアポロもまた、死神に殺されたという事を。

解放されたという歓びは無く、主を失ったという悲しみも無い。

ただ、虚無感だけが彼女の身体を支配した。

何も目的が無くなった彼女は、当てもなく世界を彷徨《さまよ》い始める。

ザエルアポロや藍染がよく監視していた、現世の『空座町《からくらちょう》』という所に足を運んでみたが、何も得られるものは無く——ロカは、現世と虚圏《ウエコムンド》を彷徨うだけの乾いた存在と化した。

彼女の身体から放《はな》たれる反膜《ネガシオン》の糸は、自分の意志とは別に自動的に周囲と繋がる性質があった為、現世の物質と魂を共有する事がしばしばあった。そうした場合は、霊力が無い人間にも、おぼろげにその姿が見えてしまうらしい。

幽霊だなんだと騒がれ、携帯のカメラなどで写真を撮られる自分には気づいていたが、だからといって、どうしたら良いのかも判断できない。

死神の気配を感じる度《たび》に糸の霊子共有を遮断《しやだん》して姿を消していたが、もはや、なんの為に死神から逃げるのかも理解できていなかったのである。

いよいよ自分の存在する理由が解らなくなった頃――

彼女の心に、声が響《ひび》く。


――聞こえるか。愚図め。


「……？　ザエルアポロ……様？」

ロカは、知らなかった。

自分の意志とは無関係に、身体から伸びる『反膜の糸《ネガシオン》』やその周囲を漂う録霊蟲《ろくれいちゅう》達が、頭部を失っている間の彼女に、絶《た》え間《ま》なく虚圏《ウエコムンド》内の情報を送り続けていたという事を。

そして、彼女自身が糸で紡《つむ》ぎ、膨大《ぼうだい》な情報が保管された『ネットワーク』の中で、自らの主の人格が形成されつつあったという事も。

――まさか、受胎告知《ガブリエール》が敗れる事があるとはね。ようやく自分の魂を再構成できたよ。

「…………」

自分の内から聞こえる声に、ロカは暫《しば》し困惑《こんわく》する。

——肝心《かんじん》の肉体を取り戻さない事には、再生とは言い難《がた》いな……。偽物《にせもの》の身体に入る事も可能だろうが、下手《へた》に結合して魂に合わない体になっては意味がない。

確かに、その『声』は、ロカの『糸』の中から、自分に対して直接言葉を響かせていた。

——どうした？　主人の復活を祝ってはくれないのかい？

——まあ、道具に祝われても不気味なだけだがね。

『声』は確かに彼女を道具として蔑《さげす》んでいた、ザエルアポロそのものだった。

主人の復活。

その事実に対して、やはり、彼女の中には歓《よろこ》ぶ事も悲しむ事も浮かばない。

そして、彼女は再びザエルアポロの道具となり——

現在は、ビルの屋上から、寂《さび》しげな表情で町を眺《なが》め続ける事しかできなかった。

≑

適当に過ごせ、と言われたものの、ロカは何をしていいのか解《わか》らなかった。

通常の虚《ホロウ》や破面《アランカル》ならば、整《プラス》を狩って喰《く》らうのかもしれない。

だが、ロカにはどうしてもそうする事ができなかった。

人工的に造《つく》られた大虚《メノス》である彼女からは、虚《ホロウ》にありがちな情動や本能的欲望が欠落している。そんな状態で知性だけを与えられた彼女にとって、『奪《うば》う』というのは抵抗のある行為だった。

ロカから見れば、成仏《じょうぶつ》もせず、現世を彷徨《さまよ》い続ける浮遊霊や地縛《じばく》霊が羨《うらや》ましかった。

彼らは、未練があるからこそ現世に留《とど》まっている。

未練。

生きる理由。執着するもの。

自分には無いものを、彼らは持っている。自分よりも遥《はる》かに貴《たっと》い者達だ。

そんな彼らの魂《たましい》を傷つける権利など、自分にある筈《はず》がない。

彼女はそんな事を考えつつ、他にやる事も無いまま町の景色を眺《なが》め続けた。


今の時点では、彼女は誰にも束縛《そくばく》されていない。

このまま、尸魂界《ソウル・ソサエティ》のザエルアポロへと繋《つな》がる『糸』を切断して逃げてしまえば、自分は完全に自由になれる。

遠い土地に逃げ、極力霊圧《れいあつ》を抑《おさ》えれば、見つかる心配もないだろう。

あるいは虚圏《ウエコムンド》の砂漠の果てに逃げるのも良いかもしれない。

しかし、自由を得たところで、彼女には何も無いのだ。

やりたい事も、生きる目的もない自分が、自由を得て一体何をしようというのか？


全《すべ》てを諦《あきら》めた目で、彼女はただ、次の指令が下るのを待ち続ける事しかできなかった。

待機を続け、死神や滅却師《クインシー》、あるいは虚《ホロウ》が現れたら退却する。

ただそれだけの、簡単な命令。

なんの問題もない。


与えられた仕事だけを淡々《たんたん》とこなし続け、砂漠の岩と同じように、いずれは砂塵《さじん》に帰《き》す。

そんな終わりが来るまで、同じような歩《あゆ》みが続くのだ。

これからも、決して変わる事はない。


その筈だった。

彼女にとって『奇跡』があったとすれば——

誰かの計算でも手の内でもなく、本当に、ご都合《つごう》主義とでもいえる程《ほど》の『偶然』があったとするならば、それは、ただ一つ。


ザエルアポロの姿をした男が尸魂《ソウル・ソサエティ》界襲撃《しゅうげき》を決行しようとした日。同時に、ピカロ達が現世を通って尸魂《ソウル・ソサエティ》界にやってきた、丁度《ちょうど》この日に——

空座町《からくらちょう》に、一人の英雄がいた事だ。

平均視聴率25パーセント以上。

全国の子供達がカリスマと崇《あが》めてやまない、一人の霊能者が——

彼女を捜《さが》す為《ため》だけに、この町へとやってきていた事だった。


「ボハハハハハハーッ！」

声が。

「スピリッツ・アー・ウォオオオオ——ルウェイッ！　ウィズ・イイイイユウウウウウウウウッ！」

あまりにも唐突《とうとつ》な『声』の塊《かたまり》が、寂《さび》れた廃《はい》病院の屋上を支配した。

「……ッ⁉」

その声を聞き、ロカはビクリと身体《からだ》を震《ふる》わせ、屋上の扉に向き直る。

視線の先に立っていたのは、死神でもなければ滅却師《クインシー》でも虚《ホロウ》でもない、奇妙な霊圧をぼんやりと身に纏《まと》う謎の男だった。

だが、霊圧以前に、彼女はその男の格好を見て目を丸くした。

白を基調とする虚圏《ウエコムンド》に暮らしていた彼女にとって、派手に輝く色使いは何かの警戒色としか思えない。

現世の人間を観察していた時、たまに派手な格好をしている者はいたが――目の前の男の衣服は、そうした面々と比《くら》べてレベルが違う絢爛《けんらん》さだった。

異様。

人間ではない彼女から見ても、『周囲の存在から浮き上がった何か』と即座に判断する事ができた。

――あ、あの……あれ？

すぐに逃げる、という選択肢《せんたくし》が無かったわけではない。

だが、目の前の男は、ザエルアポロに言われた『死神』でも『滅却師《クインシー》』でも『虚《ホロウ》』でもない為、勝手に動く事が憚《はばか》られてしまった。

――ええと、その……。

何か声をあげようとしたのだが、全《まった》く言葉にならない。

慌《あわ》てて糸の霊子《れいし》共有を遮断《しゃだん》して姿を消したのだが、どうやら目の前の男は霊感があるようで、何の躊躇《ためら》いもなくこちらに近づいてくる。

そして、男は呆《ほう》けている彼女の手を摑《つか》み、優しく握《にぎ》りしめる。

「やあ、美しいレディ。安心したまえ。私は君の味方だ」

「……………?」

目の前の男が何を言っているのか、欠片《かけら》も理解できず、ロカは両目を瞬《しばた》かせる。

「悲しい顔のわけを、このドン・観音寺《かんおんじ》に話してはくれないかね?」

そして、奇跡は今、明確な運命となって転がり始める。

先に待つのが地獄か楽園か、誰もその答えを知らぬまま。

十章

尸魂界《ソウル・ソサエティ》　技術開発局

「ちょっとぉ、見て見て、やったわぁ！」

パタパタと足音を響《ひび》かせながら、一人の女が復旧作業中の技術開発局に駆けこんでくる。

「あん？」

片づけ作業をしていた阿近《アコン》達がそちらに目を向けると、そこには豊満な胸の間に何かを抱《かか》えこんだ女性が嬉《うれ》しそうに微笑《ほほえ》んでいる姿があった。

「采絵《トルエ》さんかよ。今までどこに……」

研究素材捕獲《ほかく》科の科長である女性に、阿近は何事かと近づいたのだが──

彼女の胸の谷間に埋もれているのが幼い少年の頭だと気づき、思わず眉《まゆ》を顰《ひそ》める。

見ると、彼女が抱えているのはまだ十歳前後と思《おぼ》しき子供の身体《からだ》だったのだが──

それが、流魂街《ルコンがい》に出没していた破面《アランカル》の一人であると確認できた瞬間から、研究室内が騒然となった。

「……マジか」

「おいおい、采絵よう、どうやって捕まえたんだよコイツ!」

「さっすが捕獲科長ってとこだなオイ」

「えー、女の子が良かったー……」

思い思いの感想を口にする局員達を前に、采絵は誇らしげに破面《アランカル》の子供を抱きしめた。

「夜一《よるいち》ちゃんと空鶴《くうかく》ちゃんと一緒に、鬼ごっこやって捕まえたのよう! あ、今は破面《アランカル》用の麻酔《ますい》で眠らせてるから安心よ?」

采絵の胸を枕にしながらスヤスヤと寝ている少年型破面《アランカル》。

研究員達は「さっそく解析《かいせき》しようぜ」「局長の許可を待てよ」と動き出したが——

「ちょぉっと待ったぁぁあ!」

と、部屋の隅《すみ》のガレキから唐突《とうとつ》に怒声《どせい》が響き渡る。

次の瞬間、ガレキをはねのける形で巨大な物体が起き上がった。

巨大ミシンで『得体《えたい》の知れない何か』に縫《ぬ》い付《つ》けられていた、改造魂魄《モッド・ソウル》入りのヌイグルミだ。なんの実験なのかは不明だが、ヌイグルミは『得体の知れない何か』をガシャゴボブキュリと器用に動かしながら采絵に迫《せま》る。

「俺を捕《つか》まえた時と随分《ずいぶん》と対応違うんじゃねえかそれ!? というわけで、俺も実は破面《アランカル》だったかもしれないんで、同じようにお姉さんの秘密の罠《わな》で桃色プリズンに捕獲プリーずぼぶしゅ⁉」

飛びかかった瞬間にあっさりと迎撃《げいげき》され、そのまま『得体の知れない何か』からブチブチと引《ひ》き剝《は》がされるヌイグルミ。

「あらあらまああ、諦《あきら》めろクズが」

笑いながら冷たい言葉を吐《は》きかける女に、ヌイグルミは霊子《れいし》の涙を流しながら呟《つぶや》いた。

「う、う、なんで俺ばっかり……。俺とそのガキの差はなんだってんだよ……」

「下心だろ」

あっさりと答えを言《い》い放《はな》ちながら、阿近は『得体の知れない何か』の足を摑《つか》み上《あ》げる。

「つーか、なんの実験してたんだこれ……」

ブツブツと呟きながら巨大パーツを片づける阿近に、采絵が周囲を見渡し問いかけた。

「あら？　そういえば局長はどうしたのかしら？」

「ああ、野暮用だとかで、副隊長と出かけてるんだが……隊首会《たいしゅ》の連絡来たってのに、こっちからは連絡つけられねえんだ」

「音信不通ってことかしら？」

「ああ、局長が今向かってるとここには、通信用の霊波《れいは》がまだ通ってないんでね」

≑

黒腔《ガルガンタ》内　某所《ぼうしょ》

死神が使う道とは異《こと》なる理《ことわり》で生み出される空間。

虚《ホロウ》達が『通路』として扱《あつか》う黒腔《ガルガンタ》。

その空間に、通路とは異なる『部屋』としてのスペースを造《つく》り出《だ》した男は、顔を顰《しか》めながら台上の屍《しかばね》に目を向けた。

男は、屍――ザエルアポロ・グランツと同じ顔をした旅禍《りょか》だ。

彼は自分の姿をした標本に手を触《ふ》れながら、じっくりと解析《かいせき》を続ける。

「……霊子《れいし》を操作された形跡はなしか……。鬼道《きどう》とやらがかけられた様子もない。……涅《くろつち》マユリめ、僕の身体《からだ》にどういう処理を……」

計算通りならば、今頃自分はこの身体と融合《ゆうごう》し、完全に力を取り戻して復活している筈《はず》だった。現在はロカの力を借りて一時的に具現化しているに過ぎず、肉体が無ければ帰刃《レスレクシオン》を含《ふく》め、あらゆる行動に制限がかかる。

何としても、この肉体と再融合を果たさねばならない。

さもなければ、自分は道具《ロカ》によって生かされるだけの存在となってしまう。

更《さら》なる糸口を摑《つか》む為《ため》、いよいよ自分の身体を切り開こうとメスを摑んだ時――


「困るネ。人の実験体を勝手に切《き》り刻《きざ》むものじゃあないヨ」


と、独特な声が背後から響《ひび》き渡《わた》った。

背後に現れたのは、即座に死神と解《わか》る二つの霊圧《れいあつ》だった。

黒腔《ガルガンタ》内、しかも通常では観測できない座標に造られた空間に破面《アランカル》以外の霊圧が入りこむというのは、普通ならば考えられない事だ。

しかし、そうした常識の外にいる男を、旅禍は一人知っている。

「来る頃だとは思っていたよ。涅マユリ」

ゆっくりと振り返ると、見知った顔がそこにあった。

護廷《ごてい》十三隊、十二番隊隊長の涅マユリと、副隊長の涅ネムだ。

「死神風情《ふぜい》が黒腔《ガルガンタ》を解析したとは驚きだ。素直《すなお》に賞賛しようじゃないか」

自分を殺したと記憶している男の登場にも、旅禍は余裕を見せていた。

いざとなれば、一旦《いったん》『糸』を通して逃げ出せば良いだけの話だ。標本は置いていくはめになるだろうが、隙《すき》を見ていつでも取り返せるだろう。

「……その程度の事を賞賛されたところで、馬鹿にされているようにしか思えんのだがネ。浦原喜助《うらはらきすけ》ならともかく、私に解析ができるのは当然の事だヨ」

涅マユリは不機嫌《ふきげん》そうに呟《つぶや》いた後、旅禍に向かって問いかける。

「ところで、君は誰かネ？」

「……巫山戯《ふざけ》ているのか？」

目を細める旅禍に、涅マユリは静かに続ける。

「いや、私も君を計りかねているのだヨ。当然ながら推測はできるが、できる事ならば当たっていてほしくはないのでネ」

その言葉を聞いて、旅禍は一瞬表情を消した後、クツクツと笑いながら言葉を紡《つむ》いだ。

「……フフ……ハハハ！　そうだろうとも！　確かに、君にとって僕の存在は容認しがたいだろうな！　このザエルアポロ・グランツが……死を与えた筈の相手が、こうして目の前に現れたのだから！」

すると——涅マユリは露骨《ろこつ》に顔を顰《しか》め、首を振りながら溜息《ためいき》を吐《つ》いた。

「ああ、残念だヨ。できる事ならば外《はず》れていてほしかったんだがネ」

マユリは静かに顔を上げ——

一言《ひとこと》、問う。

「で、君は何者なのかネ？」

「……そういう冗談を言う男とは思わなかったが？　それとも、解析を終えた標本の名前などとっくに忘れた、という皮肉のつもりか？」

訝《いぶか》しげに眉《まゆ》を顰《ひそ》める旅禍に、マユリは更《さら》に問いを続ける。

「百年」

「？」

「ザエルアポロ・グランツに超人薬を投与してから、私の刃《やいば》が心臓を貫《つらぬ》くまで、彼の中では最低でも百年の時が経過した筈だヨ。その時の経過を、君は体験しているのかネ？」

「…………」

言葉が、途切れた。

——聞いてはならない。

涅マユリが何を言っているのか理解できない。

旅禍は、そう思おうとした。

——理解してはならない。

——知ってはならない。

心臓の裏側から脳髄にかけて警報に似た『衝動』が湧き起こる。

呆《ほう》けた顔をする旅禍に、マユリは更に続けた。

「君の霊子の一部が魂魄《こんぱく》から剝離《はくり》し、それが地獄の門をくぐった事も確認済《ず》みだヨ。君がザエルアポロだというのならば、どのようにしてクシャナーダの追跡を振り切り、咎人《とがにん》の鎖《くさり》を断《た》ち切《き》ったのか興味深い所だネ。是非《ぜひ》とも、聞かせてはもらえないかネ？」

「……何？」

地獄、という単語に、脳がついていかない。

急激に、旅禍の思考が鈍《にぶ》る。

脳髄《のうずい》の中に、いくつもの鍵《かぎ》がついた扉が立ち並んでいるかのような錯覚《さっかく》を覚えた。

混乱する旅禍に、涅マユリはつまらなそうに言葉を続ける。

「答えられないだろう？　それが、私の推測が当たってしまった証明だヨ」

「何を……言っている？」

「君は、いつから自分がザエルアポロ・グランツだと思っていたのかネ？」

「…………」

認めてはならない。

会話を続けてはならない。

全身から冷や汗が滲《にじ》み出《で》るのを感じる。

この場から逃げ出さなければと思うが、上手《うま》く『糸』に接続できない。

焦《あせ》る自分を無感情に見つめる涅ネムの姿が、殊更《ことさら》旅禍を苛立《いらだ》たせた。

「逃げようとしても無駄《むだ》だヨ。この空間に入る前に、『反膜の糸《ネガシオン》』の一部に封印を施《ほどこ》した。君から切断した、と言ってもいいネ」

「なッ……」

「だが、別にもう歩いて逃げても構《かま》わないヨ。正直な話、本当にこの推測は当たっていてほしくなかった。こんな、当たり前過ぎてなんの興味も湧かない結末はネ」

「何の話だと言っている！」

思わず、怒声《どせい》が漏《も》れた。

だが、マユリは心底興味がないと言った視線を向ける。奇《く》しくもそれは、ザエルアポロという男がロカという『道具』に対して向けていたのと同じような視線だった。

「結論から言おう。君はザエルアポロ・グランツなどではない、記憶と知識を中途半端に複写されただけの……ただの、霊子の塊《かたまり》だヨ」

「…………」

「現世には、沼男考察《スワンプマン》というものがあるのを知っているかネ？」

黒腔《ガルガンタ》の中をゆっくりと歩みながら、マユリは静かに語り始める。

「落雷によって死んだ男の記憶と知識が、特殊な反応で沼の藻《も》に転写されたと仮定する。その藻が生前の男と寸分違《すんぶんたが》わぬ人型《ひとがた》になって起き上がった場合——その藻は、果たして死んだ男の意識と連続した同一存在となるか否《いな》か、という話だヨ。まあ、魂魄《こんぱく》という概念《がいねん》を無視する事を前提とした考察だが……今の君のケースは、半端《はんぱ》とはいえ、それに通じるものがあるヨ。沼男考察《スワンプマン》への私の意見は長くなるので伏《ふ》せるがネ」

そして、目を細めながら旅禍を追《お》い詰《つ》める言葉を次々と並べ立てた。

「奴《やつ》と同じ知性を持っているなら、気づかない筈《はず》はないのだがネ。恐らく君は、本能的にその事実を知る事を回避していたんだろう」

「…………」

「君は、ザエルアポロ・グランツではない。現世《げんせ》風の言葉を使うなら、空気中の霊子に刻《きざ》まれた、ただのバグだヨ。あの髑髏面《どくろめん》の女に取《と》り憑《つ》いたコンピューターウイルスだと言っ

ても いいネ」

「嘘《うそ》を……つくな」

今にも消え入りそうな声で、旅禍が言う。

だが、既《すで》にマユリは彼に興味が無いらしく、機械のようなものを使って『反膜《ネガシオン》の糸』を観測し、何かを割り出そうとしている所だった。

「なんのつもりだ……。僕を……斬《き》ろうとすらしないのか?」

もはやこちらに目を向けていない男に問うが、返事は、更に旅禍の心を掻《か》き乱《みだ》した。

「今それどころではないヨ。私の興味の対象は君ではなく、あの髑髏面の女なのだからネ」

「髑髏面の……女……? ロカの事か?」

「ほう、彼女の名はロカというのかネ! 拘束《こうそく》用寝台の名札に書きこませて貰《もら》うとするヨ」

自称『女性に優しい』事で有名なマユリは、どうやら彼女を瓶詰《びんづ》めではなく実験体として厚遇《こうぐう》するつもりらしい。もっとも、厚遇した結果が拘束用寝台ではあるのだが。

「巫山戯《ふざけ》るな! 僕があんな道具よりも劣《おと》るとでも言いたいのか! 奴は僕が造り出した道具に過ぎない! 奴の人格も、奴の能力も、奴の声も奴の血も奴の肉も奴の臓腑《ぞうふ》も奴の過去も奴の未来も奴の現在《いま》も全て僕が造り出したものだ!」

「ヤレヤレ。脳味噌《のうみそ》は本物の方がまだマシだったようだ。ただ、五月蠅《うるさ》い所だけは完璧《かんぺき》に再現しているネ。劣るだの劣らないだの、道具と自分を比《くら》べてどうするのかネ？　私は純粋に、無能な自称科学者よりも、実験に有用な道具の方が興味深いと言っているだけだヨ」

「なッ……」

「君にはもう興味が無い。とっとと何処《どこ》かでのたれ死に給《たま》えヨ。ああ、十一番隊のケダモノが君を斬りたがっていたから、適当に潰《つぶ》し合《あ》ってくれると助かるがネ」

そんな事を呟きながら、ネムに『糸』の向かう先を調べるように指示を出す涅マユリ。

彼の背を見ながら、完全に蚊帳《かや》の外に置かれた旅禍は、静かに膝《ひざ》を落とす。

——僕に、興味が無い？

——僕よりも、あの道具の方が重要だと？

——……。

事実を突きつけられた旅禍は、暫《しば》し沈黙したままだったが——

常人の数倍の速さで思考を巡《めぐ》らせ、やがて、その事実を受け入れた。

「……ああ」

呻《うめ》きにも似た小さな呟きが、その瞬間を示した合図だった。

そして、同時にそれは——

彼の中で、とある『鎖』を解《と》き放《はな》つ結果となる。

「それにしても、あの男は自分の複写すらろくにできなかったのかネ？　あれなら、うちにいた因幡《いなば》の技術の方が遥《はる》かに……」

ある研究員の名を出して言葉を続けようとしていたマユリだが――

「……ッ⁉」

突然背後に膨《ふく》れあがった霊圧《れいあつ》に動きを止め、目を見開きながら振り返った。

だが、そこには既に誰の姿もなく、ザエルアポロの標本が横たわっているだけだった。

ただ一つ、先刻と様子が違っていたのは――

黒腔《ガルガンタ》の空間内に、霊子の嵐を貫《つらぬ》く、巨大な『穴』が開かれていた事だった。

まるで、大型の掘削機《くっさくき》が黒腔《ガルガンタ》の壁そのものを掘り進んだかのような穴が、一瞬でマユリの目の前に現れたのである。

「ほう……」

先刻まで決して旅禍に見せなかった『興味』の色を浮かべ、マユリは暫《しば》しその穴を眺めていたが――ふと横を見て、何も動きを見せていないネムに怒鳴《どな》りつけた。

「……何をぼんやりしているんだ、この愚図《ぐず》！　とっとと残存霊圧を計測しないか！　五感と声帯を封じて物言わぬ道具にしてやろうか！」

「申《もう》し訳《わけ》ありません、マユリ様」

無表情で頷《うなず》いた後、淡々《たんたん》と作業を開始するネム。

そして、すぐに検出された結果を目にして、マユリは楽しそうに口元を歪《ゆが》めた。

「……面白《おもしろ》いネ」

そこに示された数値から計算し——今しがた背後で膨れあがった霊圧が、如何《いか》に巨大であったのかという事を確認したからだ。

「あの模造品……やればできるじゃあないかネ」


彼の脳裏《のうり》に思い出されるのは、『十刃最強《エスパーダ》』と唱《うた》っていた、一体の巨獣。

更木剣八《ざらきけんぱち》と朽木白哉《くちきびゃくや》が二人がかりで斬《き》り伏《ふ》せた、『0』の数字を持つヤミー・リヤルゴ。

導《みち》き出《だ》された数値は——ほんの一瞬とはいえ、確かにその巨獣の霊圧を上回っていた。

≒

流魂街《ルコンがい》　某所《ぼうしょ》

「いないねー」

「どこにいっちゃったのかなあ」

流魂街の外《はず》れに集まったピカロの子供達は、現在、とある問題に直面していた。

仲間のうち一人が、行方《ゆくえ》知れずになってしまったのだ。

彼らは集団にして一つの存在。

思考や五感こそ共有していないものの、お互いの居場所ぐらいは感じ取れる。

だが、それでも一人だけ、どうしても居場所が解《わか》らない。

「……あの塀《へい》の中かなあ」

考えられる可能性としてはそれが一番大きいが、だからといって行動が即座に決まるわけではない。

「死神さんに捕《つか》まっちゃったのかなあ」「ばっかでー」

「た、助けた方が……いいと……思います」「えー、いいよ。放っておこう」

「ダメだよ。友達は助けなきゃ」「ハラヘッタ」「Ｑｒｒｒｒｒｒｒｒｒ」

「そんなことより、このままじゃ鈍感音痴《どんかんおんち》さんに負けちゃうよう」

「負けたらどうなっちゃうの？」「鈍感にされちゃうの？」「音痴にされちゃうの？」「鈍感も音痴もイヤだよう」「アハハッ」「ウワ────ン！」

ケラケラ笑い続ける者から泣きだす者まで、十人十色《といろ》の反応を見せる子供達。

彼らは群体的な存在ではあるものの、個体ごとに性格や思想は様々だ。

思想といっても、どれも子供じみているという点では共通しているのだが。


ピカロは、元々は一体の中級大虚《アジューカス》だった。

遥《はる》か昔。ある事情で保護者が死んでしまい、子供だけが残されたコミュニティ。

誰からも救いの手を差し伸べられる事のないまま、餓《う》えて死んでいった複数の子供達。

地縛《じばく》霊となった彼らは死神に魂葬《こんそう》される事もないまま、長い年月を掛けて胸の穴を広げていった。

ついには虚《ホロウ》へと変じ、別々の空間に生まれ変わった彼らは、本能に導《みちび》かれ、自分達の死んだ場所へと舞い戻る。

そこで、虚《ホロウ》と化した子供同士が再会を果たし──彼らは、かつて親友だった者同士で共食いを始めた。

勝ち残った一体の虚《ホロウ》は、空腹を満たした事で幾《いく》ばくかの理性を取り戻し──

自分が何をしてしまったのかを知り、虚《ホロウ》と化した上で尚《なお》も心を壊してしまう。

そして少年の虚《ホロウ》は、やがて虚圏《ウエコムンド》と現世を彷徨《さまよ》い続け――自分が喰《く》ってしまった筈《はず》の『友達』を捜《さが》すという悲しくも滑稽《こっけい》な願いを強く残したまま、ついには大虚《メノス》となり、最下大虚《ギリアン》を経《へ》て中級大虚《アジューカス》へと進化した。

ある程度の知性を取り戻した中級大虚《アジューカス》は、かつての自分達と同じように、虚《ホロウ》になりかけている地縛霊の子供達を見つけては『友達になろう』と手を差し伸べ続けた。

そして、彼らが虚化《ホロウか》すれば、それを追い――餓える彼らに、自らの肉を差し出したのである。

餓えさえなければ、空腹さえ満たされていれば、もう喧嘩《けんか》などしない筈だと信じて。

他の虚《ホロウ》に身体《からだ》の一部を喰われた中級大虚《アジューカス》は、二度と最上大虚《ヴァストローデ》になれない。

そんな理《ことわり》を知ってか知らずか、彼は自分の霊子《れいし》を、子供から変じた虚《ホロウ》達に与え続けた。

しかし、それが思わぬ結果をもたらす事になる。

中級大虚《アジューカス》の霊子の一部を喰らった虚《ホロウ》達が、最下大虚《ギリアン》を通り越して自分と同じような能力を持つ中級大虚《アジューカス》へと進化しつつあったのである。

そして時は流れ、ザエルアポロの『実験台』などを経た彼らは――

虚圏《ウエコムンド》でも珍しい、『子供』の姿をした破面《アランカル》集団としてその名を馳《は》せる事になる。

最初の一体が抱《いだ》いていた『友達が欲しい』という欲望だけをそのままに——それ以外の部分については、多種多様な子供達としての一面を見せながら。


もっとも、そんな状態だからこそ、ピカロの意見統一にはムラがあった。

驚く程《ほど》に希望が一致する事もあれば、いつまでも決まらない事もある。

今日は話が纏《まと》まらぬまま、ただ時間だけが過ぎていくかと思われたのだが——

彼らの頭上に突然黒腔《ガルガンタ》が開いた事で、取《と》り留《と》めもない会話は一旦《いったん》中断させられる。


黒腔《ガルガンタ》の中から現れたのは——彼らにとって、見覚えのある顔だった。

「あ、ザエルアポロだ!」

「ほんとだ!」「生きてたんだ!」「凄《すご》い!」

「そっか、あのお姉さんの中にあった霊圧《れいあつ》、ザエルアポロのだったんだ!」

「なん　で　生　きてる」「Qrrrrr」「オナカスイタ」

口々にそんな事を騒ぎ合っていると、黒腔《ガルガンタ》の中にいた男は、小さく微笑《ほほえ》んだ。

「やあ、久しぶりだね、君達。元気にしていたかい?」

やいのやいのと返事をする子供達に、ザエルアポロの姿をした『何か』が言う。

つい先刻、マユリと対峙《たいじ》していた時の焦燥《しょうそう》と動揺の色は欠片《かけら》も残されていない。

「どうかな、半分ぐらいの人数でいいから、僕と面白《おもしろ》い遊びをする気はないかい？」

「面白い遊び⁉」「面白そう！」「何なに！　なにをやるの！」

『何か』が予想した通り、丁度《ちょうど》半分ぐらいの子供達が即座に食いついてきた。

「えー……やめようよ」「私、ザエルアポロ嫌い……」

本能的に警戒しているのか、残り半分の子供達はザエルアポロの姿を見て他者の陰《かげ》に姿を隠しているが、そんな者達の事は気にせず、男は笑いながら言葉を続ける。

「宝探しと、王様ゲームさ」

「それって、どんな遊び？」

「なに……現世で使われてる意味とは違うけれど……、みんなの手で宝を探して、その宝で王様を造り出す、パズルみたいなものだよ」

意味深《いみしん》な事を呟《つぶや》きつつ、男は、クックツと笑いながらピカロ達に言った。

「それが終わったら……ロカ・パラミアを捜して遊ぼう」

邪悪《じゃあく》な笑《え》みを零《こぼ》しながら、ザエルアポロの劣化《れっか》コピーである男は、楽しそうに楽しそうに言葉を紡《つむ》ぐ。

「それも終わったら……みんなで地獄までピクニックに行こうじゃないか。……彼女の『糸』を使ってね」

ピカロ達は、誰一人として気づかなかった。
ザエルアポロの姿をした『何か』の身体に、異変が起こりつつあった事を。
彼の身体の某所に刻《きざ》まれていた【8】の数字が、薄れ、消えつつあるということを。
そして、左目の眼球の表面、丁度下瞼《したまぶた》に隠れるか隠れないかといった白目の部分に——
小さな数字が刻まれつつあった事を。
気づける筈もなかった。
【100】という数字は上部しか見えず、ただの模様にしか見えなかったのだから。

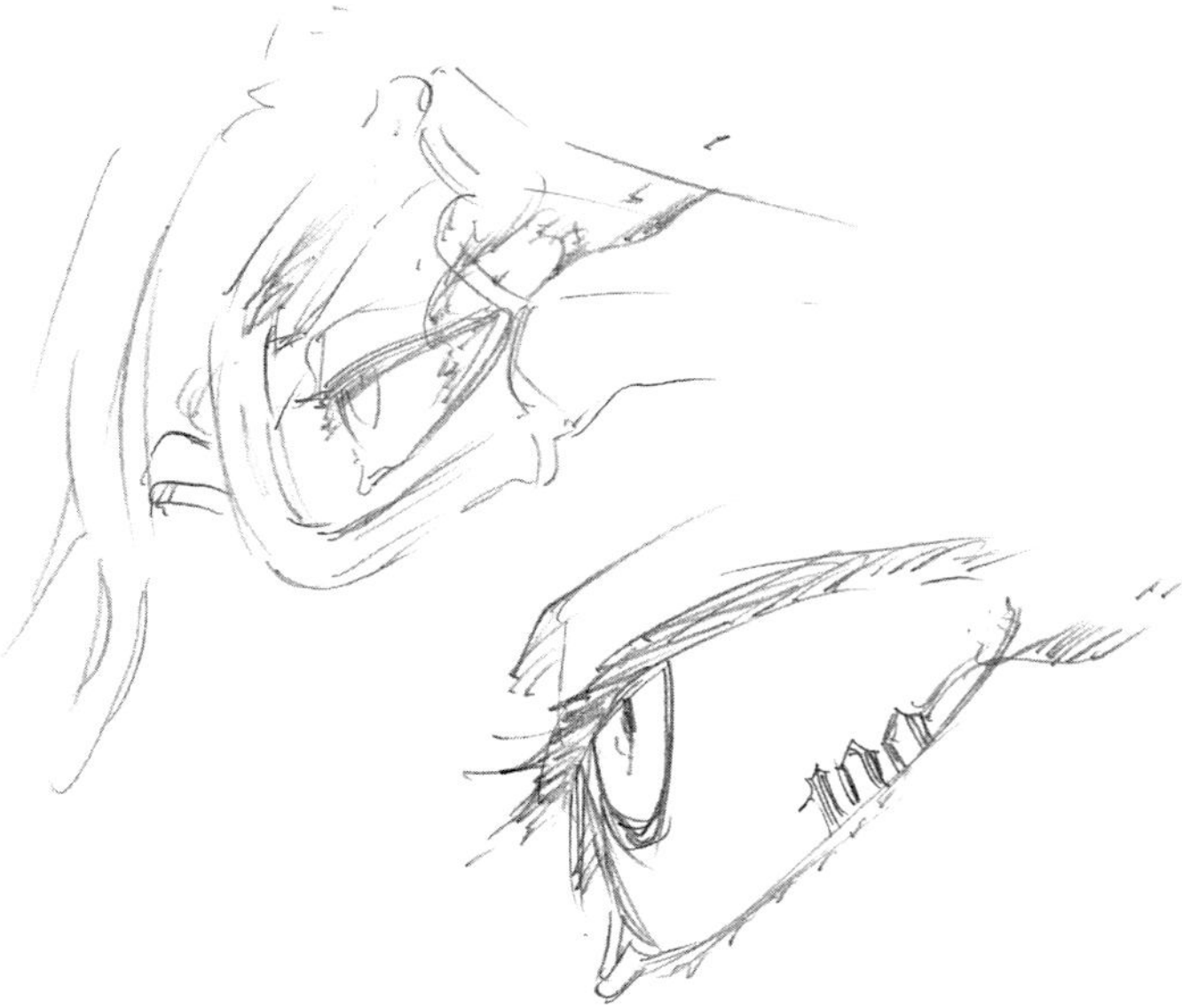

接続章

その男は、自《みずか》らの歩《あゆ》みによって、一踏《ひとふ》みごとに周囲の空気を震《ふる》わせた。
地が、
空が、
水が、
木々が、
死神達が、
尸魂界《ソウル・ソサエティ》の森羅《しんら》万象《ばんしょう》が、その男の足音に合わせ、霊子《れいし》を小《こ》刻《きざ》みに顫動《せんどう》させる。
まるで、男の纏《まと》う兇猛《きょうもう》たる鬼気《きき》に怯《おび》えているようでもあり——
男の圧倒的な力を、霊子そのものが賞賛しているようにも見えた。

そして、男が向かっていた先は——

十一番隊舎

鋸《のこぎりそう》草の隊章を身につけた、泣く子も黙る『十一番隊』。

十三に分かれた死神達の実働隊の中で、最も『戦《いくさ》』に特化した部隊。

その事実は変わらないが、数百年の時が流れる間に、当然移ろうものもある。

七代目の刳屋敷剣八《くるやしきけんぱち》がいた頃は『華《はな》がある武人《ぶじん》の集まり』と評され、女性隊員もそこそこ見かけられたのだが――鬼巌城《きがんじょう》剣八の時代あたりから、山賊のように野卑《やひ》なイメージの者が集《つど》うようになり、女性隊員も現在では草鹿《くさじし》副隊長を含《ふく》めてごく少数となっていた。


そんな荒くれ者達が集う隊舎の中で、弓親《ゆみちか》は元々浮き気味の存在だったのだが――斬魄《ざんぱく》刀《とう》を持たない今となっては、浮き気味を通り越して完全に浮いた状態となっている。

だが、そんな弓親が白い目で見られる事はなく、普段通りに接する者が殆《ほとん》どだった。

寧《むし》ろ、無類の戦好きが多い十一番隊の面々は、

――「弓親さんをあしらった野郎が出ただと」

――「なんか、隊長の偽物《にせもの》らしいぜ！」

——「いい度胸じゃねぇか。腕が鳴るぜ」

——「やっこさんの腕も鳴らしてやろうぜ。ボッキボキによぉ！」

——「げははぁー！　皆殺しだぁ！」


と、負けた弓親よりも、『五席をあしらった強者』に強く意識を向けている。

ただ、弓親本人は流石《さすが》にそうした会話には加わらず、修練場の隅《すみ》の壁に背を預け、何やら物思いに耽《ふけ》っていた。

そんな彼に、いつもと同じ調子で声をかける者が一人。

「どうしたよ。隊長を侮辱《ぶじょく》したっつー野郎を素手《すで》でぶった斬《ぎ》る算段でもつけてんのか」

「一角《いっかく》。……まあ、そんなとこさ。泣き寝入りは美しくないからね」

「確かに斬魄刀を取られたなんて情けねぇ話だぜ。……っつっても、俺も昔、一護《いちご》の野郎に勝手に傷薬とか使われたりしたからな。なんか思い出したら腹立ってきたな畜生《ちくしょう》」

鞘《さや》に入ったままの斬魄刀で自分の肩をトントンと叩《たた》きながら、斑目《まだらめ》一角が励《はげ》ましと世間話の中間といった台詞《せりふ》を口にした。

「しかし、その巫山戯《ふざけ》た野郎は、なんで藤孔雀《ふじくじゃく》を盗んでいきやがったんだ？　気配を分散させてたくせに、結局俺の方には来やがらねぇしよ。ったく、本当に今日は厄日《やくび》だぜ」

破面《アランカル》の子供達に続き、二度も戦いをスカされた事に苛《いら》ついている一角。

「……そうだね。尸魂界《ソウル・ソサエティ》で一番ツイてる一角が厄日じゃ、他のみんなは天中殺《てんちゅうさつ》だよ」

一方、弓親は落ちこむよりも先に、軽口《かるくち》を叩きながらも何かを考えこんでいた。

——あいつが僕の『瑠璃色孔雀《るりいろ》』を盗んでいったのには、理由がある筈《はず》だ。

危険度や破壊力というなら、他に盗むべき刀はいくらでもあっただろう。それにもかかわらず、わざわざ『瑠璃色孔雀』を選んだという事は、何か理由があるのだろう。

そして、弓親には、その理由について心当たりがあった。

——『瑠璃色孔雀』の能力。恐らくは、それ自体が奴《やつ》にとって……。

しかし、その理由を周囲に伝える事は、『瑠璃色孔雀』の秘密を明かすも同義だ。

戦いの中で他人に見られるぐらいなら、死を選ぶ。その覚悟は今も変わらない。

だが、懸《か》かっているものが、これから戦いに向かう仲間達の命だとしたら？

敵の弱点を知るか知らないかでは、生存率は露骨《ろこつ》に変わってくる。

あの不気味な元『剣八《けんぱち》』が相手ならば、推測できた弱点は伝えるべきなのでは？

そんな事を考え続けたが、弓親は揺れていた。

自分の信頼する男に全《すべ》てを任《まか》せるならば、そんな事は些末《さまつ》な事なのかもしれない。

しかし、それにあぐらを掻《か》いて他の仲間を危機に晒《さら》す可能性を残すのは、美しくないのではないか。

美しいかどうか。その基準で全てを考える弓親は、深く息を吐《は》いた後、薄く笑いながら決意する。

――全てを明かして、流れに身を任せるのもそれはそれで美しいかな。

――僕自身の中にわだかまりが生まれた時は、腹でも切るとしようか。


自分の死すらあっさりと選択肢《せんたくし》に入れる弓親。

彼がそんな事を考えている間にも、修練場内に満ちる十一番隊士達の蛮声《ばんせい》は大きくなる一方であり――一角と弓親は一旦《いったん》静かにさせようかと、修練場の方に振り返る。

刹那《せつな》――

チリン

と、隊舎の外から、かすかに鈴《すず》の音《ね》が聞こえた。

同時に、周囲の空気がピン、と強く張《は》り詰《つ》め、隊士達の大声がピタリと止まる。

鈴の音以外は何も聞こえないが、室内の空気が、一定のリズムで段階的に重くなっていくのが解《わか》る。

それは、霊圧《れいあつ》が近づいてくる事を示す足音のようなものだった。

一歩ごとの動きが解るほどに、その霊圧は重く、鋭い。

やがて、鈴の音がハッキリと聞こえるようになり――

隊舎の扉が開かれ、眼帯をつけた一人の男が姿を現した。

髪の毛を棘山《とげやま》のように束《たば》ね、その先端には鈴が取りつけられている。

だが、そんな奇異な髪の毛や眼帯よりも先に、眼光の鋭さが何よりも特徴的と言える男だった。

「「「「チャーッス！　お疲れ様ーッす！」」」」

隊士達が一斉《いっせい》に頭を下げ、その男を出迎える声を張りあげた。

「おう」

だが、男は素《そ》っ気《け》ない挨拶《あいさつ》だけして、ツカツカと弓親の方に歩み寄る。

「よう。【無間《むけん》】からトンズラしてきた野郎と戦《や》り合《あ》ったらしいじゃねえか」

あっさりと言う剣八に、弓親は小さく頷《うなず》いた。

そんな弓親に対し、男は続けざまに問いかける。

「負けたのか」

「……勝ち負けどころか、斬《き》り合《あ》いの相手すらして貰《もら》えませんでしたよ」

自嘲《じちょう》気味な皮肉でもなんでもなく、ただ事実だけを告《つ》げる弓親。

そして、男が話を続けるよりも先に、ある言葉を口にしようとした。

「奴の能力で、一つ伝える事があるとすれば……」

言いかけたところで、弓親の肩が背後から摑《つか》まれる。

「おい、ちょっと待て」

思わず言葉を止めて振り返ると、そこには厳しい顔をした一角が立っていた。

「何考えてんのか知らねぇが、これから死ぬみてえな面《つら》してんぞ、お前」

「……一角」

「俺達が命を懸けんのは、斬り合いの中だけだ。そうだろ？」

当然ながら、弓親は一角にも瑠璃色孔雀の事は伝えていない。だが、一角も、長年行動を共にする仲間が何かを命懸けで隠し続けている事ぐらいは察しているのかもしれない。

そんな二人の死神達の会話を聞き、男は首をゴキリと鳴らしながら弓親を見下ろした。

「あぁ……？　よく解んねえが……手前《てめえ》、まさか敵の弱点だのなんだの、そんな下らねぇ事ヌカそうとしたんじゃねえだろうな？」

呆《あき》れたように言う男。

「んなもん先に聞いちまったら、斬り合いがつまんなくなんだろうが、馬鹿野郎」

そんな男の言葉を聞いて、弓親は自分が実に馬鹿な事で悩んでいたと気づき、苦笑した。

自分が他の隊の所属だったならば、先刻の悩みは正しいものだろう。更《さら》に言うならば、悩むまでもなく皆に話すのが正しい行動だろう。

だが、ここは鋸草棚引《たなび》く十一番隊だ。

倫理《りんり》や合理性など彼岸《ひがん》に置き去り、ただ、純粋に自分達が楽しむ為《ため》の戦いだけを追い求める集団である。

そして、その気風の象徴《しょうちょう》でもある男が、弓親に対して改めて問いかける。

「俺が聞きてえ事は、ひとつだけだ」

弓親には解っていた。

彼だけではなく、一角も一般隊士達も、男の背中にしがみついている草鹿《くさじし》やちるさえも、その場にいた全員が理解していた。

眼前の男が、次に何を口にするのかを。

そして——眼帯の男は、皆から予想された通りの言葉を口にした。

「そいつは、強《つえ》えのか?」

彼は死神としてはあまりに礼節が足《た》りぬと言われ。
彼は武人《ぶじん》としてはあまりに粗野と言われ。
彼は刃《やいば》としてはあまりに荒削《あらけず》りと言われ。
彼は力としてはあまりに扱《あつか》い辛《づら》いと言われ――
それでも、圧倒的な『強さ』で十一番隊を纏《まと》め上《あ》げていた。
正確には、明確な意志をもって纏めているわけではない。
男の純粋な『強さ』を前に、隊士達が勝手に纏まっていると言ってもいい。

第十一代『剣八』こと、十一番隊隊長――更木《ざらき》剣八。

彼を説明するのに、余計な言葉は必要ない。

『強い』
ただその一言《ひとこと》が、男の全てを表している。
圧倒的な強さは、それだけで多くの人々の心を焦《こ》がし、特異な人望を紡《つむ》ぎ出《だ》していた。

そんな彼が見知らぬ敵について「強いのか」と問いかける。

問いの中には、「自分よりも強い者が現れたのではないか」という警戒的な意味は微塵《みじん》も含《ふく》まれていない事を、十一番隊の面々はよく知っていた。

周囲が彼の圧倒的な『力』に心酔しているように——更木剣八は、『強者との斬り合い』そのものに、尸魂界《ソウル・ソサエティ》の誰よりも焦がれているのだ。

弓親は少し考えた後、真剣な目つきで口にした。

「ええ、強いです」

更木剣八は、単純極《きわ》まりない答えに満足したようで、口元を歪《ゆが》めて笑いを漏《も》らす。

「そいつァいい。俺は爺《じじい》の命令に喜んでいいらしいな」

「総隊長の？」

眉《まゆ》を顰《ひそ》める一角に、剣八はまだ見ぬ戦いに笑いながら呟《つぶや》いた。

「空座町《からくらちょう》に行けとよ」

「空座町⁉」

「今一つ解《げ》せねえが……髑髏《どくろ》の面を被《かぶ》った破面《アランカル》の女を捜《さが》せとさ」

「そうすりゃ、その痣城《あざしろ》とかいう野郎と殺し合いができるんだとよ」

三

こうして——空座町《からくらちょう》に、三体の『魔人』が目を向ける。

【無間《むけん》】から脱獄した大逆人《たいぎゃくにん》であり、周囲の霊子《れいし》全《すべ》てと同化する力を持つ痣城剣八《あざしろけんぱち》。

虚圏《ウエコムンド》からの襲撃者《しゅうげきしゃ》である、ザエルアポロの姿をした『１００』の数字を持つ存在。

そして、戦場を駆け血煙《ちけむり》を喰《く》らう十一番隊の頂点に立つ剣鬼、更木《ざらき》剣八。

強大な力を持った彼らの視線の先にあるのは、か弱い姿をした髑髏面《どくろめん》の女。

魔人同士の殺し合いに巻きこまれれば、簡単に張《は》り裂《さ》けてしまいそうな弱い破面《アランカル》だ。

だが——彼女の横には、一人の英雄が存在していた。

純粋な殺し合いならば、その女性よりも遥《はる》かに弱い英雄が。

当の英雄は、一人の女を救う為《ため》、優しくその手を差し伸べていた。

彼女に迫《せま》り来《く》る三つの『脅威《きょうい》』を、知らぬまま。

だが――

もしも、テレビで観音寺《かんおんじ》の登場を待ち侘《まわ》びるファンの者達が全てを知っていたとすれば、こう答える事だろう。

たとえ未来を知っていたとしても、彼はやはり、迷う事なくその手を差し伸べた筈《はず》だと。

それができるからこそ、彼は英雄なのだと。

そして、死神代行が存在しない空座町を舞台に――

『英雄』の戦いが、今、静かに幕を開ける。

（Ⅱに続く）

■初出
BLEACH　Spirits Are Forever With You Ⅰ　書き下ろし

[BLEACH] Spirits Are Forever With You Ⅰ

2012年6月9日　第1刷発行
2022年10月8日　第7刷発行

著　者／久保帯人◉成田良悟

編　集／株式会社　集英社インターナショナル
〒101-8050　東京都千代田区一ツ橋2-5-10
TEL　03-5211-2632(代)

装　丁／石野竜生＋湯澤勇太［Freiheit］

担当編集／六郷祐介

編集人／千葉佳余

発行者／瓶子吉久

発行所／株式会社　集英社
〒101-8050　東京都千代田区一ツ橋2-5-10
TEL　03-3230-6297(編集部)
03-3230-6080(読者係)
03-3230-6393(販売部・書店専用)

印刷所／図書印刷株式会社

Printed in Japan　ISBN978-4-08-703265-9 C0093

検印廃止